ファーマシューティカル

アロマセラピー&
メディカルハーブ

グリーンフラスコ代表・東邦大学薬学部客員講師

林　真一郎 著

南山堂

序

　日本人の疾病構造は，結核などの感染症から生活習慣病へ，さらには老人退行性疾患へと急激にシフトしています．こうした背景や患者さんのニーズが多様化するのをうけて，医薬品，手術，放射線を3つの武器にする近代・西洋医学と，植物療法，心理療法，音楽療法などの相補・代替療法 complementary and alternative medicine (CAM) の両方を視野に入れ，患者さん中心の医療を実現しようという統合医療 integrative medicine の普及が進んでいます．ここで注意したいのは，統合医療が決して「現代医学を否定したり対立するものではない」ということです．統合医療の世界的なリーダーであるアリゾナ大学医学部の Andrew Weil 博士は，統合医療プログラムの目的の1つとして「現代医学の内側に統合医療モデルを構築すること」を揚げています．

　アスピリンがホワイトウイロウから，ワルファリンがアルファルファから生まれたように，メディカルハーブは医薬品の起源といえます．植物療法では有効成分をハーブティーやチンキ剤といった粗抽出物（複合成分）の形で用いるのに対し，医薬品は単離・合成して用いるといった違いはあるものの，薬剤師や薬学生は，はじめから植物療法に近い位置にいるといえます．そのため，薬剤師が修めた植物化学や生化学，薬理学といった知識や製剤などの技術は，そのまま植物療法を学ぶうえで生かすことができるのです．

　本書は植物療法を自ら実践したり，患者さんに提案できるようになることを目標に，① メディカルハーブや精油の品質管理，② ガレノス製剤（ローマの医師ガレノスが確立し，現在まで続く製剤技法），③ 医薬品との薬物相互作用といったファーマシューティカルな3つの視点を重視して，薬剤師や薬学生を対象に編集されました．統合医療の時代を迎え，薬物療法だけでなく，植物療法もバランスよく提案できる薬剤師をめざして，本書を活用していただければ幸いです．

2011年3月

林 真一郎

contents

1章 薬剤師が取り組むべきアロマセラピー＆メディカルハーブ

A 薬剤師が関わる目的と薬学的視点からのアプローチ ……… 2
植物療法の定義と特徴　2
統合医療における植物療法　2
薬剤師の職能としての植物療法　3
薬学的視点からのアプローチ　4

B 職務における活用の具体例 ……… 5

2章 アロマセラピー

A アロマセラピーの基礎知識 ……… 8
精油の抽出と保存　8
精油の作用機序　10
精油の活用法　11

B 精油の作用 ……… 14
精油の多様な作用　14
精油の構造活性相関と作用　15
精油の構造活性相関と安全性　22

C 薬学的視点からみるアロマセラピー ……… 27
精油の品質管理　27
精油の剤形と製剤　29
精油と医薬品の薬物相互作用　36

D 主要精油8種のモノグラフ ……… 39
クラリセージ　40
ティートリー　42
ペパーミント　44
ベルガモット　46
ユーカリ　48

ラベンダー　50
　　　ローズマリー　52
　　　ローマンカモミール　54

3章 メディカルハーブ

A メディカルハーブの基礎知識 ……………………………… 58
　　　メディカルハーブの収穫と保存　58
　　　メディカルハーブの作用機序　59
　　　メディカルハーブの活用法　60

B メディカルハーブの作用 ……………………………… 63
　　　メディカルハーブの多様な作用　63
　　　植物化学成分の分類と作用　66
　　　植物化学成分の分類と安全性　71

C 薬学的視点からみるメディカルハーブ ……………………………… 75
　　　メディカルハーブの品質管理　75
　　　メディカルハーブの剤形と製剤　76
　　　メディカルハーブと医薬品の薬物相互作用　80

D 主要メディカルハーブ12種のモノグラフ ……………………… 83
　　　エキナセア　84
　　　エルダーフラワー　86
　　　カレンデュラ（マリーゴルド）　88
　　　ジャーマンカモミール　90
　　　セントジョンズワート　92
　　　ダンディライオン　94
　　　ネトル　96
　　　ハイビスカス　98
　　　パッションフラワー　100
　　　ペパーミント　102
　　　マルベリー　104
　　　ローズヒップ　106

4章 症状別の植物療法

A 植物療法を始める（提案する）前に ……………………………… 110
B 症状別のケア ……………………………………………………… 111
不眠・抑うつ　112
かぜ・インフルエンザ　114
花粉症　116
アトピー性皮膚炎　118
胃　炎　120
便　秘　121
月経痛・月経前症候群　123
更年期障害　125
冷え症・肩こり　126
妊娠・出産時の植物療法　128
生活習慣病の植物療法　129
高齢者の植物療法　131

5章 情報収集のテクニック

A EBMとインターネット検索 ……………………………………… 134
EBMの基礎知識　134
インターネット検索　137
B 有用な情報源 ……………………………………………………… 139
書　籍　139
ウェブサイト　139

索　引　141

1章

薬剤師が取り組むべきアロマセラピー＆メディカルハーブ

 薬剤師が関わる目的と薬学的視点からのアプローチ

 1 植物療法の定義と特徴

　植物療法 phytotherapyとは，植物が生合成する植物化学phytochemical成分を含んだ粗抽出物を用いて，ヒトが生まれながらにして有している自然治癒力（自己治癒力と自己調節機能）に働きかけ，疾病の予防や治療に役立てる療法をいいます．また，植物療法は薬物療法と比較して，次のような特徴があります．

① 多様な植物化学成分が多様な作用機序で生体に働きかけるため，効果発現への相乗効果が得られます．
② 治癒系をつかさどる神経・内分泌・免疫系の機能を調整し，生体防御機能を向上するとともに細胞レベルでの抗酸化作用を発揮します．
③ 医薬品に比べて体内環境への侵襲が少なく，肝臓や腎臓などの代謝システムへの負担も少ないといった利点があります．

2 統合医療における植物療法

　統合医療とは，医薬品，手術，放射線による近代・西洋医学と，植物療法，心理療法，ホメオパシー，音楽療法などの相補・代替療法complementary and alternative medicine（CAM）のいずれをも視野に入れた，患者さん中心の医療をいいます（図1）．植物療法は，数あるCAMのなかでも医薬品の起源であることから，特異な位置を占めています．

　ところで，統合医療が普及した要因の1つに，社会の変化に応じた疾病構造の変化があります．

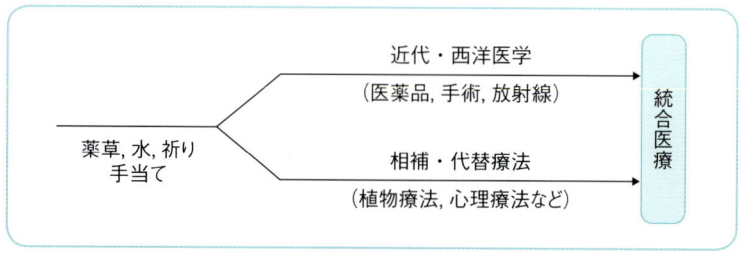

図1　人類の医療の歴史

表1　医療モデルと生活モデルの対比

	医療モデル（キュア）	生活モデル（ケア）
目　的	救命・治癒	QOL向上・ADL維持
目　標	健康	自立
主たるターゲット	疾患	障害
主たる場所	クリニック・病院	家庭・社会
チーム	医療従事者	セラピスト・福祉職

（長谷川敏彦：日本の健康転換のこれからの展望，ファイザーヘルスリサーチ振興財団報告書，1993より改変）

こうした視点を健康転換 health transition といい，第1相の結核などの感染症から第2相の慢性病（生活習慣病）へ，そしてわが国ではすでに第3相の老人退行性疾患に至っています．こうした変化によって，医療の枠組が医療モデルから生活モデルへとシフトしています（表1）．

また，先に述べた植物療法の特徴からわかるように，植物療法は生活モデルを実現するうえできわめて有効・有用であるといえます．植物療法は，次の6つの点で統合医療に大きく貢献することができます．

① 生体防御機能の向上による疾病の予防（1～3次予防）
② 抗酸化作用による加齢に伴うQOLや日常生活動作（ADL）低下の改善
③ 五感の刺激による生命力の向上と生命感覚の賦活
④ 個体差や嗜好に応じたオーダーメイド医療の実現
⑤ 健康の自己管理意識と治療への参画意識の向上
⑥ 疾病の予防や医療品とのコストパフォーマンスによる医療費の抑制

3　薬剤師の職能としての植物療法

統合医療で用いられる数あるCAMのなかでも，有効性・安全性・有用性の観点から，植物療法は多くのケースで採用されています．また，心理療法やホメオパシーなどは，心やエネルギーといった目に見えないものを扱うのに比べ，植物療法は正統的な生化学や植物化学，薬理学などのアプローチでおおむね記述することが可能であるため，科学教育を受けた医療従事者に理解されやすいという利点もあります．

さて，植物療法の歴史は薬学の歴史そのものであり，薬剤師は植物療法の担い手として大いに期待されています．2006年の世界保健機関 World Health Organization・国際薬学連盟 international Pharmaceutical Federation では，薬剤師の実践のあり方として，① 適切な薬物療法とアウトカムの確保，② 医療用具の供給，③ 健康の増進と疫病の予防，④ 医療システムの管理の4項目をあげています．このなかで薬剤師がCAMに取り組む目的は，③の実践にあります．統合医療の時代を迎え，薬物療法だけでなく植物療法もバランスよく提案できる薬剤師が求められています．

植物療法は薬物療法に比べて臨床試験によるエビデンスが少なく，用法・用量なども確立しているとはいいがたい面もあります．その一方で，こうした「すき間」にこそ患者さんが自らの治療に参加することが許される余地があるともいえますが，いうまでもなく，医薬品やその服用量を患者さんが決めることは大きなリスクが伴うことを忘れてはいけません．薬剤師が「どのようなハーブティーを飲みたいですか？」，「こちらとこちらの香りはどちらがお好みですか？」などの問いかけをして選択肢を提示することは，治療への動機づけや主体性の回復につながり，治療そのもののアウトカムにも直結するのです．

4 薬学的視点からのアプローチ

植物療法を実践するうえで，医師が関わる植物療法と薬剤師が関わる植物療法とでは何が異なるのでしょうか．医学と薬学の起源にさかのぼって考えると，それぞれの視点に，医学はpatients oriented，薬学はproducts orientedという違いがあります．したがって，植物療法を実践するうえでの医師の役割は診断と治療であり，薬剤師の役割は品質管理とガレノス製剤（ローマの医師ガレノスが確立し，現在まで続く製剤技法；ミツロウ軟膏など）で，そして医師・薬剤師に共通する部分が動態や相互作用ということになります．また，薬剤師は栄養学や生化学などの幅広いバックグラウンドをもつことから，栄養・運動・休養など幅広い生活指導を行うことが可能です（表2）．

表2　薬学的視点からアプローチできる項目

1. 品質管理（ハーブ・精油・その他）
2. 最適な剤形の選択と製剤
3. 安全性のチェック（禁忌や相互作用など）
4. 食生活などを含めた幅広い生活指導（ライフスタイル提案）

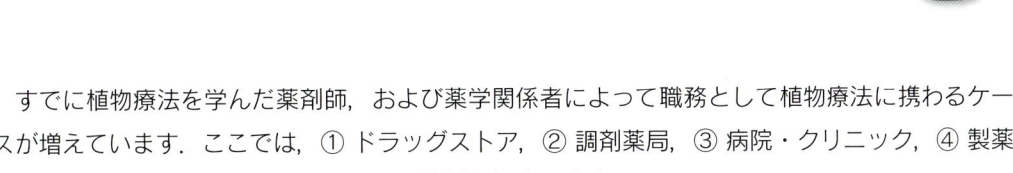
B 職務における活用の具体例

すでに植物療法を学んだ薬剤師，および薬学関係者によって職務として植物療法に携わるケースが増えています．ここでは，①ドラッグストア，②調剤薬局，③病院・クリニック，④製薬会社・研究機関の4つの領域における具体例を紹介します．

1 ドラッグストア

ドラッグストアでは，OTC薬やサプリメントとならんで精油やハーブを販売するケースが多く見られますが，知識のある販売員が不在であるため，顧客のニーズに応えられていないケースが目につきます．植物療法を学んだ薬剤師が販売に携わることで，精油やハーブの活用法を地域住民に教育し，1次予防やセルフメディケーションに役立てることができます．

2 調剤薬局

患者さんのニーズを反映して，精油やハーブを取り扱う調剤薬局が増加しています．たとえば，処方薬との相互作用やその他のリスクを十分にチェックしたうえで，不眠で通院する患者さんにリラックスできるハーブティーや寝室に漂わせる香りを勧めるなどのファーマシューティカルな提案を行うことは，患者さんとの信頼関係を強め，また治療の質を高めることにつながります．

3 病院・クリニック

わが国では混合診療が禁止されていることもあり，医療機関で植物療法を臨床応用することは難しいのが現状ですが，精神科・心療内科や産科・婦人科，それに緩和ケア領域などで植物療法に取り組むケースが着実に広がりつつあります．薬剤師が関わることでファーマシューティカルな見地からアロマセラピストにアドバイスしたり，入院患者さんが持ち込むサプリメントとの相互作用をチェックすることやエビデンスの評価を行うことなどが可能になります．

4 製薬会社・研究機関

最近では，育毛剤などQOLを高めることを目的とした生活改善薬（ライフスタイルドラッグ）へのニーズが高まっています．こうした分野では，侵襲性が低く機能調整にすぐれた精油やハーブなどの天然物資源からの創薬が期待されています．また，ハーブとしてはすでに知られているものでも，今までとは異なった用途の開発や異なる部位の有効活用などにも注目が高まっています．

2章

アロマセラピー

A アロマセラピーの基礎知識

1 精油の抽出と保存

1 精油の抽出法

現在，商業的に行われている精油の抽出法には，次の方法があります．

❶ 水蒸気蒸留法

ラベンダーやローズマリーなど，精油の原料となる植物を水蒸気蒸留釜に詰め込み，水蒸気を通して精油を留出させます．それを冷却器で凝縮して水層と油層（精油）を得ます．水層には水溶性の精油成分が含まれていて，芳香蒸留水（いわゆるフローラルウォーター）と呼ばれます．これは香粧品領域で活用されます．アロマセラピーで用いられる精油のうち，柑橘系の精油を除くほとんどの精油がこの方法で製造されます．

❷ 圧搾法

オレンジやレモンなど，柑橘系の精油を採取するのに用いられる方法で，果皮の表面にある油房（油嚢）に蓄えられている精油を，機械で圧力をかけて絞り取るものです．水蒸気蒸留法のように熱を加えないので精油成分の化学変化が起きにくく，自然の香りに近い精油が得られます．なお，同じ柑橘系から水蒸気蒸留法と圧搾法でそれぞれ精油を得た場合，両者の精油成分やその構成比は異なります．

❸ 溶剤抽出法

ローズやジャスミンなどの精油を製造する方法で，まず，原料の花を石油エーテルやヘキサンなどの有機溶剤に浸し，花香を溶剤に移行させます．廃花を取り除いたあと，低温で溶剤を留去してコンクリートと呼ばれる残留物を得ます．次に，そのコンクリートにアルコールを加えて加温溶解後−20℃程度に冷却し，析出するワックスなどの不溶分を除去します．それからさらにアルコールを留去して精油を得ます．この方法で得た精油はアブソリュートと呼ばれます．

なお，ローズは水蒸気蒸留法と溶剤抽出法の両方で製造する方法があり，前者をローズオットー，後者をローズアブソリュートと呼びます．両者の精油成分やその構成比は大きく異なります（表1）．ローズオットーはローズアブソリュートに比べてフェニルエチルアルコールが少ないのですが，それは芳香蒸留水（いわゆるローズウォーター）中にフェニルエチルアルコールが移行したためです．

また，ローズオットーはステアロプテンと呼ばれる花ロウ成分を含むため，気温が10℃程度

A. アロマセラピーの基礎知識

表1 精油成分の構成比の違い

成　分	ローズオットー構成比（%）	ローズアブソリュート構成比（%）
リナロール	1.26	0.40
フェニルエチルアルコール	2.88	74.06
シトロネロール	40.47	8.77
ネロール	5.25	2.52
ゲラニオール	13.01	5.18

に下がると固化することがあります．この場合は加温すると液体に戻ります．一方，ローズアブソリュートは黄色の色素成分も一緒に抽出されるため，精油が黄色を帯びています．

❹その他

最近では自然の香りにより近い香りの精油を得るため，超臨界流体抽出法などの方法も試みられています．この方法は超臨界流体の液化二酸化炭素などを抽出に用いるもので，抽出に用いた液化ガスは室温に放置すると揮散し，精油が残留します．特殊な装置が必要となるためコストがかかり，また，得られた精油の成分やその構成比は，水蒸気蒸留法など従来の方法で得られた精油のそれとは大きく異なります．そのためアロマセラピーで用いる場合には，適用や安全性に注意が必要です．

2 精油の保存法

精油の保存については，精油成分の酸化や加水分解などの化学変化を防ぐため，遮光・密封・冷保存が原則となります．また，精油をブレンドしたものやマッサージオイルなど精油を製剤化したもの，キャリアオイルとして用いる植物油についても，保存の原則は同様です．

香水など，香料業界では意図的にエイジング（熟成）と呼ばれる操作を行うことがあります．これは，アルデヒドやケトンとエタノールが反応して，アセタールやケタールが生成し香気がマイルドになることを狙うなど，製品の価値を高めるための処置になります．一方，アロマセラピーでは成分の変化が皮膚トラブルの原因になることがあるため，精油も精油を製剤化したものも，できるだけ新しいものを，できるだけ早く使い切ることが原則となります．実際，リモネンやリナロールが酸化したものは，皮膚刺激性が高まることが知られています．なお，一部の精油成分については，時間の経過に伴って酸化したもののほうが，抗菌活性が高まることが報告されています．

ここで，スイートアーモンド油，マカデミアナッツ油，ホホバ油の3種のキャリアオイルを，窓際と日陰に置いた場合の過酸化物価peroxide value（POV）の変化を示します（図1）．

マカデミアナッツ油やホホバ油は，日陰に保存することで酸化をほぼ防ぐことが可能です．スイートアーモンド油は，高度不飽和脂肪酸のリノール酸をおよそ25％含むため，マカデミアナッツ油やホホバ油に比べて酸化しやすいことがわかります．

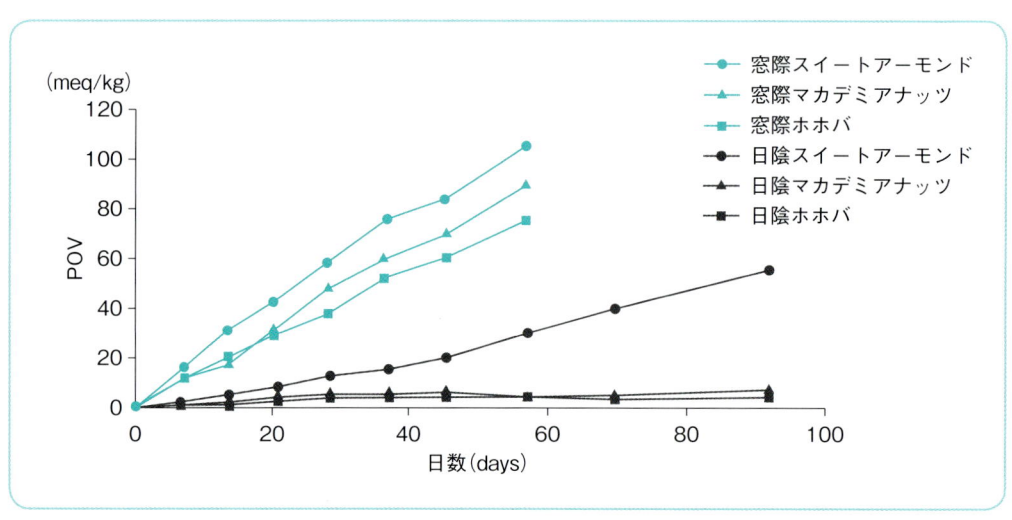

図1　常温保存によるPOVの変化
(林 真一郎編：ベーシック アロマテラピーの辞典, p.58, 東京堂出版, 1998)

 ## 精油の作用機序

　精油は生体に対しさまざまな作用機序で多段階に作用し，生理作用，心理作用，薬理作用，抗菌作用などをもたらします．作用経路としては次のようなものがあります．

❶嗅覚経路
　香り分子は鼻腔の嗅上皮を経て，嗅細胞で電気信号に変換されます．それが快・不快といった情動の座である大脳辺縁系に伝えられます．嗅覚以外の感覚情報は，大脳皮質に入力されたあと大脳辺縁系に伝えられますが，嗅覚情報だけが大脳辺縁系に直行します．また，もう1つの経路として，視床を通る経路もあります．

❷経気道・経肺経路
　香り分子は気道から肺に入り，肺胞の毛細血管から血中に取り込まれます．肺は成人で表面積が100m^{2}にも及び，ガス交換とともに血中に取り込まれた香り分子は，全身に効率よく送られます．また，香り分子の下気道の迷走神経を介した作用も報告されています．

❸経皮経路
　一般に分子量が500以下の脂溶性成分は経皮吸収が可能とされますが，精油成分は分子量がおおむね150〜200程度で，かつ脂溶性のため，外用で用いた場合に経皮から吸収されて初回通過効果を受けずに血流に入ります．さらに，精油成分は血液-脳関門を通過して中枢神経系に作用します．

❹経口（消化管）経路
　フランスやベルギーなど一部の国では，乳化剤で乳化後，またはカプセルに充填後に精油を経口投与するケースがみられますが，消化管粘膜や肝臓などの代謝系に対する影響を考えると，経

口投与には慎重であるべきと思われます．また，経口投与の場合は芳香効果は期待しないため，アロマセラピー（芳香療法）ではなく「精油内服療法」といった別の枠組みでの研究や取り組みが望ましいでしょう．

❺ その他（鼻粘膜経路など）

その他の経路として，香り分子が鼻粘膜の毛細血管から取り込まれる経路などがあります．

ここで，鎮静・鎮痙作用を有するラベンダー精油によるオイルマッサージを例に，精油の作用機序を考察しましょう．まず，ラベンダーの快い香りが嗅覚系を介してストレス下の情動を安定させます．さらに，心の安定はヒトの治癒系，つまり自律神経系と内分泌系と免疫系の3者のネットワークに影響を与え，精神神経内分泌免疫学的に体内環境を改善します．次に，経皮吸収した精油成分が薬理作用を発揮して，ストレス下の心身の緊張を解きます．こうした作用に加え，マッサージの手技が生理的に落ち着きをもたらし，生理的，心理的，薬理的な作用が互いに相乗効果を発揮します．これがアロマセラピーがホリスティックな療法であるといわれるゆえんです．

ところで，香り分子による嗅覚刺激は電気信号に変換されて脳に伝達されるため，効果発現までの時間が短い反面，持続時間も短くなります．一方，経皮吸収された精油成分が血中を移動し，受容体やイオンチャネルに作用して効果を発現するには，多少の時間を要します．実際には，この2つのルートによる作用が互いに補い合って作用を安定したものにしています．また，それぞれの作用機序が異なるので，作用は相加的ではなく相乗的なものになります．

3 精油の活用法

精油の活用法は次に示すように多岐にわたります．目的に応じて活用法を選択することが大切です．

1 ● 芳香浴

香炉（電気式も含む）や，それに精油をミスト状にして噴霧するディフューザーと呼ばれる器具や，ファン式の芳香器を用いて香りを空気中に漂わせる方法です．香炉は空焚きを防ぐため，水を入れる部分が大きいものがよいでしょう．また，香炉で用いるキャンドルは，安全性の面からミツロウか良質のロウで作られたものを用いるようにします．寝室で使用する場合は火の使用は控え，電気式の香炉を用います．ディフューザーは熱を加えないため，加熱による精油成分の変化を防ぐ利点があります．

2 ● 蒸気吸入

洗面器やボウルに熱湯を入れ，そこに精油を1〜4滴たらし，蒸気とともに立ち上る香りを吸入する方法です．精油の効果と蒸気の効果の両方が得られます．たとえば，かぜや呼吸器の不

調の際に行うと，精油の効果に加えて蒸気によって気道が潤い，また空気の乾燥を防ぐことができます．蒸気吸入する場合，熱湯に精油をたらしてすぐに勢いよく香りを吸い込むと，咳を誘発するので注意します．特に，ペパーミント精油は気道のけいれんを起こす可能性があるので慎重に行います．

● 3 ● オイルマッサージ

精油を植物油に希釈して作ったマッサージオイルを使ってオイルマッサージを行い，精油を経皮吸収させる方法です．施術を受ける者は，嗅覚経路による心への作用と，経皮・経気道・経肺経路による体への作用を両方同時に受けることになります．さらに，血中に入った精油成分は血液-脳関門を通過して，中枢神経系に作用を及ぼします．オイルマッサージによる効果は，精油の効果とマッサージの手技による効果が合わさったものといえます．

❶ 精油の濃度

植物油に希釈する精油の濃度は精油の種類に関係なく，植物油に対して1％を適正濃度とします．ただし，使用目的に応じて2〜3％で行うこともあります．なお，精油の容器から滴下する精油の量は，精油の種類に関係なく1滴を0.05mLで概算します．したがって，植物油10mLに対し，1％濃度に調製する場合の精油の滴数は，

$$10\,mL \times 1\% = 0.1\,mL$$
$$0.1\,mL \div 0.05\,mL = 2\,滴$$

となります．

❷ マッサージの禁忌

次の場合にはマッサージの施術を控えます．①高熱がある場合，②骨折，やけどなどの外傷がある場合，③急性の炎症を起こしている場合，④伝染病や伝染性の皮膚病にかかっている場合，⑤重い食事の直後，⑥生理，静脈瘤などによる出血傾向がある場合．

❸ パッチテスト

精油による接触皮膚炎を起こす可能性を調べるため，必ずオイルでマッサージを行う前にパッチテストを行います．パッチテストの方法としては，希釈濃度に従ったマッサージオイルを前腕部の内側に適量塗布し，24〜48時間放置します．その後，皮膚にかゆみや炎症などの異常が起きていないかを確認します．もし，パッチテストで異常が生じた場合はその時点で大量の水で洗い流し，必要な場合は石けんを使用して洗い流します．

● 4 ● 入 浴

家庭用のバスタブ（約200L）に精油4〜6滴をたらし，手でよくかきまぜてから入浴する方法です．1回分，自然塩40〜50gに精油4〜6滴，あるいは植物油10mLに精油4〜6滴を加えてからバスタブに入れれば，それぞれバスソルトやバスオイルになります．精油の効果を十分に得るには15分程度入浴する必要があります．湯の温度調節や部分浴（手浴・足浴・半身浴）など，バルネオセラピー（鉱泉療法）のテクニックと合わせて行うと効果的です．一般に，手浴は

利尿効果を，足浴は鎮静・安眠効果をもたらします．

5 ● 湿 布

　洗面器や大型のボウルに適温の湯を張り，精油を1滴たらして軽く混ぜたものを湿布液とし，タオルやガーゼをそこに浸して患部にあてる方法です．湿布液に水を使う場合を冷湿布，湯を使う場合を温湿布といいます．一般に，冷湿布は急性の炎症や痛みなどに用い，温湿布は慢性の血行不良や心身の緊張を緩和するときなどに用いられます．温湿布を用いる場合は，湿布をしたあとに，さらに1枚の乾いたタオルを巻いて熱を保つようにするとよいでしょう．

6 ● その他（軟膏・クリーム・パック・ローションなど）

　精油の外用方法として，軟膏やクリーム，パックやローションなどを製剤化して用いる方法があります．精油の製剤については，いずれも精油を基剤に均等に混和する形になります．精油は液体であるため混和する操作は容易に行えます．軟膏の基剤はミツロウと植物油であり，これに水剤が加わるとクリームになります．パックの基剤はクレイ（粘土）であり，またローション剤は精油をまずアルコールに溶解し，それに水剤を加えて作ります．いずれの場合も基剤は希釈溶媒としてだけではなく，それ自体が効能・効果にダイレクトに影響を与えるため，基剤の品質や製剤技術には細心の注意を払います．

B 精油の作用

1 精油の多様な作用

1 生理作用

　精油は睡眠，呼吸，血圧，脳機能などに影響を与えます．興味深いことに，寝室で香りを漂わせるとレム睡眠が増加し，また昼と夜の睡眠時間を比較すると昼間の睡眠時間が減る傾向がみられます．つまり，単に睡眠時間が増えるだけではなく自然な睡眠を取り戻し，睡眠の質（クオリティ・オブ・スリープ）を改善する可能性をもっています．こうした働きは，脳の視交叉上核にある体内時計を介した生体リズムの調節効果によるものと考えられています．

2 心理作用

　精油は快・不快といった情動や心理に影響を与えます．また，マルセル・プルーストの名作「失われた時を求めて」の一場面にあるように，忘れていた記憶を呼び覚ます働きがあります．精油の心理効果は，随伴陰性変動 contingent negative variation（CNV）を調べることで客観化できます．CNVによる実験ではジャスミン，ペパーミント，バジルやローズに興奮作用が，ラベンダー，カモミール，レモンやサンダルウッドに鎮静作用が現れますが，至適濃度や個人の嗜好，文化的背景などによって反応は一律ではありません．

3 薬理作用

　精油は血液やリンパ液を経て，標的部位で消炎作用や鎮静・鎮痙作用，鎮痛作用など多様な薬理作用をもたらします．1例をあげると，ジャーマンカモミール精油中のアズレンは，ヒスタミン遊離を抑制し消炎作用を，またペパーミント精油中のl-メントールは，カルシウムイオンチャネルのモジュレーターとして鎮痙作用を発揮します．最近では，動物実験で抗不安作用などの中枢への薬理作用も確認されています．

4 抗菌・抗ウイルス作用

　精油は森林に漂う揮発性有機化合物であるフィトンチッドのように，抗菌作用や抗ウイルス作用をもたらします．こうした作用は植物が外敵を寄せつけないための生体防御機能と考えられ，実際，精油の抗菌力は揮発させたときがもっとも強力であるといわれています．精油の抗菌力の

表2 各種精油の抗菌試験

供試菌 検体名	サルモネラ菌	大腸菌	ブドウ球菌	枯草菌	緑膿菌
イランイラン	3.0	3.0	1.0	2.0	—
ベルガモット	—	8.0	5.0	7.0	—
クラリセージ	—	5.0	19.0	14.0	—
ユーカリ	3.0	10.0	3.0	4.0	—
ティートリー	7.0	20.0	5.0	7.0	—
ペパーミント	—	5.0	3.0	5.0	—

数値は発育阻止帯幅(mm)を示します．一般に，精油の抗菌作用点は菌の細胞膜です．緑膿菌は膜の透過性が悪いため抗菌活性がみられません．

大小は精油成分の官能基と相関し，一般にはアルデヒド類（シトラールなど）やフェノール類（チモールなど）が強い抗菌作用を有します．また，精油は抗菌スペクトルが広いという特徴があり（表2），さらに多成分系なので，抗菌作用のみならず，同時に消炎作用や免疫賦活作用などもあわせもちます．そのうえ一般には耐性菌を生みにくいので，院内感染対策への活用も期待されています．

以上，精油の4つの作用を述べてきましたが，重要なことは，精油の場合こうした作用が相乗的に得られる点にあります．

2 精油の構造活性相関と作用

精油成分の分子構造（官能基）と物理・化学的性質や薬理作用などにはおおむね相関がみられます．したがって，ある精油成分の分子構造を知ることができれば，おおむねの性質や作用を類推することができます．たとえば，クラリセージ精油に含まれるスクラレオールは，エストラジオールなどのステロイド構造と類似します（図2）．したがって，クラリセージ精油は女性ホルモン様作用を有すると考えられます．これに対して，分子構造と匂いそのものを系統づけることは難しく類推することはできません．

図2 スクラレオールとエストラジオールの構造式

表3 精油成分の官能基による構造分類と具体例

分類	官能基	具体例		
炭化水素のみ	C・Hのみ	リモネン	α-ピネン	カマズレン
アルコール	-OH	メントール	リナロール	テルピネン-4-オール
フェノール	-OH (フェニル)	チモール	カルバクロール	エストラゴール
アルデヒド	-CHO	シトロネラール	桂アルデヒド	ゲラニアール
ケトン	>C=O	カンファー	プレゴン	ツヨン
エステル	-C(=O)-OR	酢酸リナリル	酢酸ベンジル	サリチル酸メチル
クマリン		ベルガプテン	クマリン	
オキシド	-C-O-C-	1,8-シネオール	ローズオキシド	

1 • 精油成分の官能基による構造分類

精油成分を，炭化水素のみで官能基をもたないもの，アルコール，フェノール，アルデヒド，ケトン，エステル，クマリン，オキシドの8つのグループに分類して，それぞれの具体例を表3に示します．

2 • 精油成分のイソプレン単位による分類

精油成分は，メバロン酸経路を経て生合成されたテルペノイド化合物が多く，これらの化合物はイソプレン（C_5H_8）を1つの単位（ユニット）として，主にその頭と尾を結合（head and tail 結合）させることで生合成されます（イソプレン則，図3）．蒸留によって得られる精油には，精油成分として分子量の小さいモノテルペン化合物がもっとも多く，次いでセスキテルペン化合物，ジテルペン化合物という順に得られる成分は少なくなります．トリテルペン化合物は精油中には見出されず，テトラテルペン化合物（カロテノイド）になると，芳香成分ではなく色素成分となります．

3 • 精油成分の構造分類と特徴・作用

ここでは官能基による構造分類をさらにイソプレン単位により細分化して，精油成分を12のグループに分類し，特徴や作用についてそれぞれ以下に示します．

❶ モノテルペン炭化水素類

モノテルペン炭化水素類には，*d*-リモネン，α-ピネン，ミルセンなどがあります（図4）．モノテルペン炭化水素類は揮発性が高く，酸化しやすいという特徴があります．また，その酸化物は刺激性があります．作用としては，① 抗菌・抗ウイルス作用，② うっ血除去作用，③ 賦活作用などがあります．欧米では，α-ピネンなどにはステロイド様作用があるともいわれています．

イソプレン2単位	$C_{10}H_{16}$	モノテルペン	精油成分（ピネン・リモネン・メントールなど）
イソプレン3単位	$C_{15}H_{24}$	セスキテルペン	精油成分（カリオフィレン・カマズレン・ファルネソールなど）
イソプレン4単位	$C_{20}H_{32}$	ジテルペン	精油成分（スクラレオールなど）・樹脂・フィトール
イソプレン6単位	$C_{30}H_{48}$	トリテルペン	樹脂・サポニン・ステロイド・スクアレン
イソプレン8単位	$C_{40}H_{64}$	テトラテルペン	カロテノイド・キサントフィル
イソプレン500～5,000単位	高分子	ポリテルペン	天然ゴム

図3　イソプレン単位による分類

d-リモネン（オレンジ）　α-ピネン（ジュニパー）　ミルセン（バーベナ）

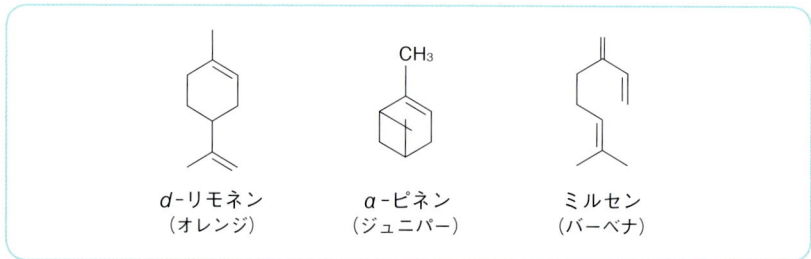

図4　モノテルペン炭化水素類の具体例

❷ セスキテルペン炭化水素類

セスキテルペン炭化水素類には，カマズレン，カリオフィレン，ビサボレンなどがあります（図5）．沸点が高いため揮発性が低く，匂いが強いという特徴があります．作用としては，① 鎮静作用，② 消炎作用があります．

カマズレン（ジャーマンカモミール）　カリオフィレン（クローブ）　ビサボレン（ジャーマンカモミール）

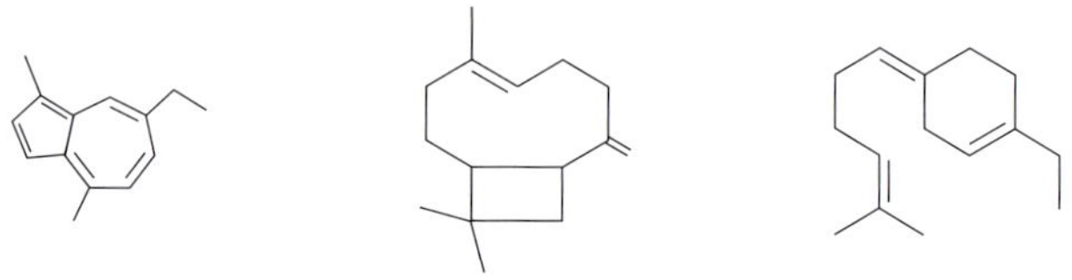

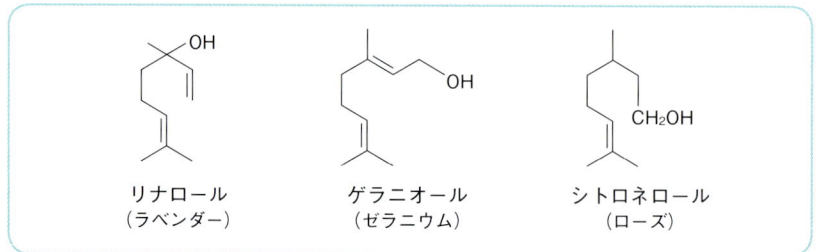

図5　セスキテルペン炭化水素類の具体例

❸ モノテルペンアルコール類

モノテルペンアルコール（モノテルペノール）類には，リナロール，ゲラニオール，シトロネロールなどがあります（図6）．侵襲性が低く，一般的には香りも好ましいという特徴があります．作用としては，① 抗菌・抗ウイルス作用，② （免疫）賦活作用，③ 緩和・調整作用があります．

リナロール（ラベンダー）　ゲラニオール（ゼラニウム）　シトロネロール（ローズ）

図6　モノテルペンアルコール類の具体例

❹ セスキテルペンアルコール類

セスキテルペンアルコール（セスキテルペノール）類には，ファルネソール，α-ビサボロール，α-サンタロールなどがあります（図7）．侵襲性が低いという特徴があり，酸化すると，香りの

特徴が強調されます．作用としては，① 抗菌・抗ウイルス作用，② 消炎作用，③ ホルモン調整作用があります．

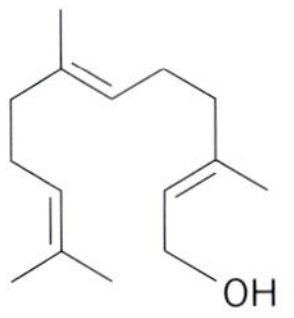

ファルネソール
（リンデン）

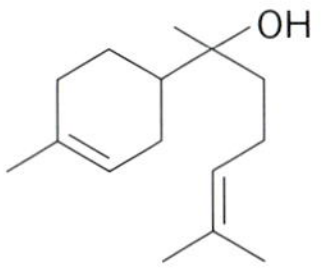

α-ビサボロール
（ジャーマンカモミール）

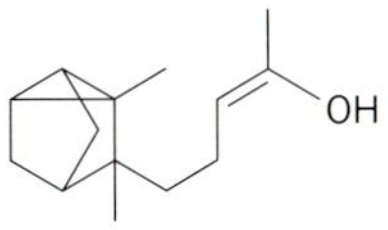

α-サンタロール
（サンダルウッド）

図7　セスキテルペンアルコール類の具体例

❺ ジテルペンアルコール類

ジテルペンアルコール（ジテルペノール）類には，スクラレオール（図8），マノオールなどがあります．沸点が高いため，揮発しにくいという特徴があります（水蒸気蒸留は可能です）．作用としては，① ホルモン調整作用，② 抗菌・抗ウイルス作用があります．

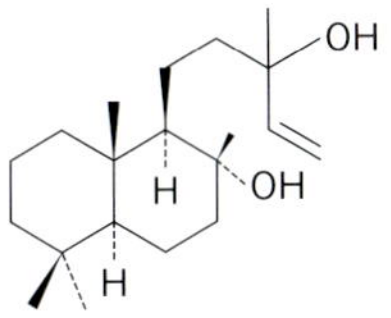

スクラレオール
（クラリセージ）

図8　ジテルペンアルコール類の具体例

❻ フェノール類

フェノール類には，チモール，カルバクロール，オイゲノールなどがあります（図9）．アルコール類に比べて，侵襲性が高く，皮膚・粘膜への刺激があり，また肝毒性や神経毒性に注意する必要があります．作用としては，① 抗菌・消毒作用，② （免疫）賦活・神経刺激作用があります．

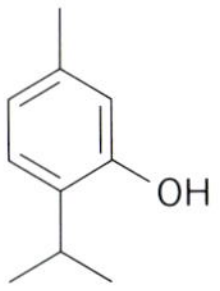

チモール
（タイム）

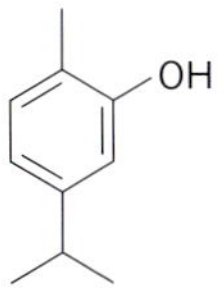

カルバクロール
（タイム）

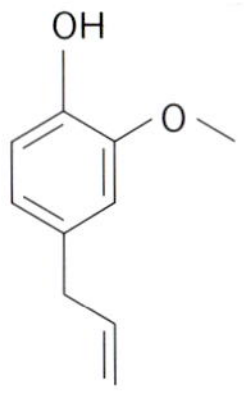

オイゲノール
（クローブ）

図9　フェノール類の具体例

❼フェノールエーテル類

フェノールエーテル類は，フェノールの水酸基にある水素原子が，アルキル基やアリル基で置換された化合物です．アルキル基は鎖状の飽和，または不飽和の炭化水素であり，アリル基は芳香族環の炭素原子に結合します．

フェノールエーテル類にはエストラゴール（メチルカビコール），アネトール，サフロールなどがあります（図10）．また，フェノール類にあげたオイゲノールはフェノールエーテル類にも属します．特徴としてはフェノール類に比べて，侵襲性が高く，皮膚・粘膜への刺激があり，また肝毒性や神経毒性に注意が必要です．作用としては，① 抗菌作用，②（消化管などの）調整作用があります．欧米ではアネトールなどにはホルモン調整作用があるともいわれています．

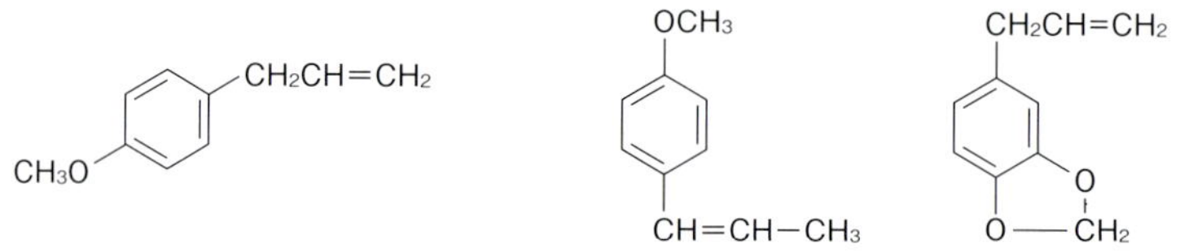

エストラゴール，またはメチルカビコール（バジル）　アネトール（アニス）　サフロール（サッサフラス）

図10　フェノールエーテル類の具体例

❽アルデヒド類

アルデヒド類には，シトロネラール，桂アルデヒド，ゲラニアールなどがあります（図11）．強い香りをもち，酸化しやすいという特徴があります．また，皮膚・粘膜への刺激や感作に注意が必要です．作用としては，① 抗菌・防虫作用，② 緩和・調整作用があります．

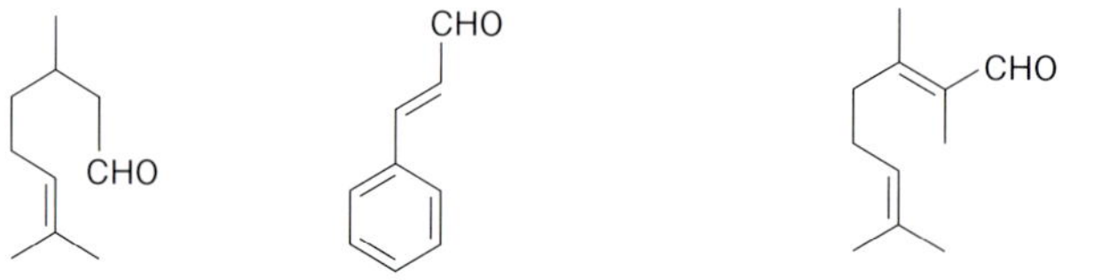

シトロネラール（メリッサ）　桂アルデヒド（シナモン）　ゲラニアール，または α-シトラール（レモングラス）

図11　アルデヒド類の具体例

❾ケトン類

ケトン類には，*d*-カルボン，メントン，カンファーなどがあります（図12）．沸点が高く，結晶化しやすいという特徴があり，また神経毒性に注意が必要です．作用としては，① 抗菌・防虫作用，② 賦活作用，③ 創傷治癒作用があります．欧米では脂肪分解作用があるともいわれています．

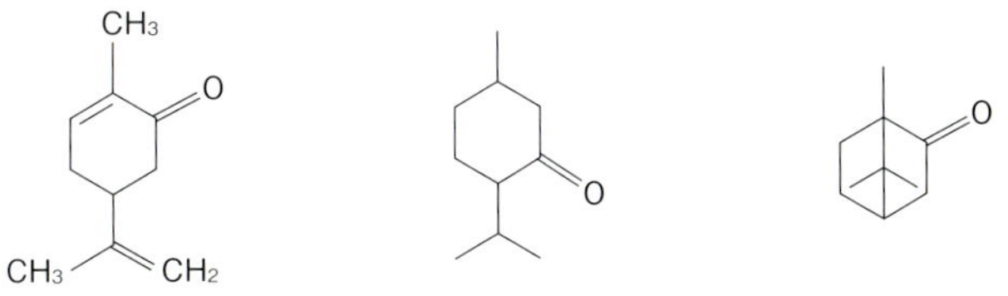

d-カルボン
（キャラウェイ）

メントン
（ペパーミント）

カンファー
（カンファー）

図12　ケトン類の具体例

⑩エステル類

エステル類には，酢酸リナリル，酢酸ベンジル，サリチル酸メチルなどがあります（図13）．そのなかでサリチル酸メチルはフェノール類にも属します．侵襲性が低く，甘くフルーティーな香りが多いのが特徴です．作用としては，① 鎮静・鎮痙作用，② 緩和・調整作用があります．

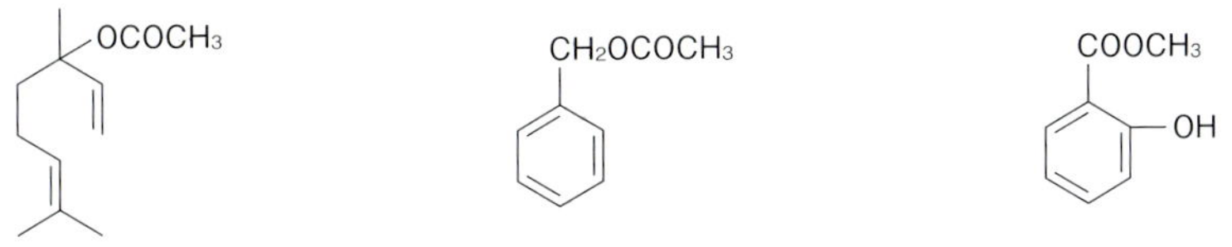

酢酸リナリル，
またはリナリルアセテート
（ラベンダー）

酢酸ベンジル，
またはベンジルアセテート
（イランイラン）

サリチル酸メチル，
またはメチルサリチレート
（ウインターグリーン）

図13　エステル類の具体例

⑪ラクトン類およびクマリン類

ラクトン類とは，環状構造の一部にエステル結合を有する化合物です．トンカ豆やサクラの葉の香りであるクマリンは，ラクトン類の一種（芳香族ラクトン類）になります．そして，クマリンの誘導体がフロクマリンです．ラクトン類にはネペタラクトン，クマリン類にはクマリン，フロクマリン類にはベルガプテンなどがあります（図14）．またフロクマリンは，フラノクマリンやソラレンとも呼ばれます．これらは分子量が大きいため，蒸留では回収されません．フロクマリン類は光毒性に注意が必要で，一部のラクトン類は皮膚刺激に注意が必要です．作用としては，① 抗菌・抗ウイルス作用，② 高揚作用，③ 抗凝固作用があります．

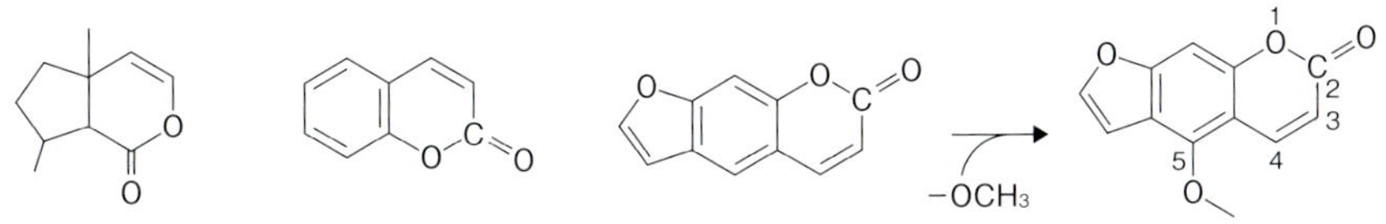

ネペタラクトン
（マタタビ）

クマリン
（サクラ）

フロクマリン

ベルガプテン
（ベルガモット）

図14　ラクトン類およびクマリン類の具体例

⑫ オキシド類

オキシド類は，環状構造のなかに酸素原子をもつ化合物です．オキシド類には1,8-シネオール，ローズオキシドなどがあります（図15）．揮発性が高く，また皮膚・粘膜や神経への刺激に注意が必要です．作用としては，① 抗菌・抗ウイルス作用，② 去痰作用があります．

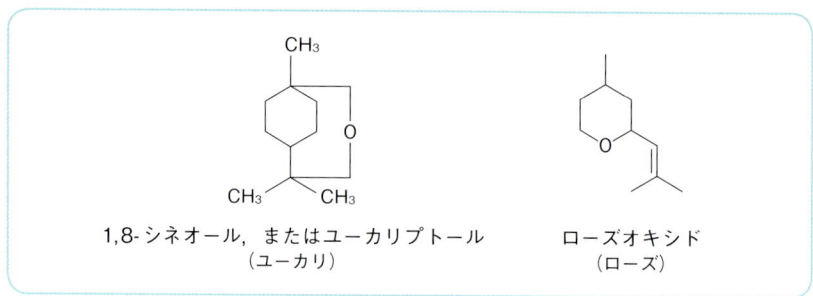

図15　オキシド類の具体例

 ## 3 精油の構造活性相関と安全性

　精油成分の分子構造（官能基）と毒性にはおおむね相関がみられます．したがって，精油成分の分子構造を知ることができれば，おおむねの毒性を類推することができます．

1 注意すべき精油成分

　精油を使用する際に毒性に注意すべき精油成分の分子構造（官能基）は，フェノール類，アルデヒド類，ケトン類，フロクマリン類です．

❶ フェノール類およびフェノール誘導体

　フェノール類はフェノール性水酸基が反応性に富むため，皮膚や組織のタンパク質に傷害を与え，また肝臓のグルタチオンを枯渇させるなどして肝毒性をもたらす可能性があります．こうしたことから，タイムやクローブなどの精油はフェノール類の成分を含むため，一般にアロマセラピーでは用いられません．フェノール類およびフェノール誘導体に分類される精油成分とそれを含む精油には，チモール（タイム）・カルバクロール（タイム）・アネトール（フェンネル）・オイゲノール（クローブ）・メチルカビコール（バジル）などがあります．

❷ アルデヒド類

　アルデヒド類は，アルデヒド基がタンパク質のアミノ基と反応してシッフ塩基を形成します．それが免疫系に異物として認識されるため，アレルギーを誘発する可能性があります．レモングラス精油は蚊などに忌避作用がありますが，アルデヒド類のシトラールを含むため，外用として皮膚に用いるのは控えるべきです．アルデヒド類に分類される精油成分とそれを含む精油には，シトラール（レモングラス）・シトロネラール（レモングラス）・シンナムアルデヒド（シナモン）・ペリラアルデヒド（シソ）・バニリン（ベンゾイン）などがあります．

❸ ケトン類

　ケトン類は中枢性の神経毒性をもち，けいれんや振戦，めまいや嘔吐などをもたらす可能性があります．精油成分は脂溶性で，かつ分子量が小さいため，比較的容易に血液–脳関門を通過するものと思われます．セージはハーブティーとして内用可能ですが，セージ精油はケトン類のツヨンを含むため，アロマセラピーでは用いられません．同様にペニーロイヤルやフレンチラベンダーもそれぞれケトン類のプレゴンやフェンコンを含むので，アロマセラピーでは用いられません．ケトン類に分類される精油成分とそれを含む精油には，カンファー（樟脳）・ツヨン（セージ）・メントン（ペパーミント）・プレゴン（ペニーロイヤル）・フェンコン（フレンチラベンダー）・ベルベノン（ローズマリー）などがあります（表4）．

❹ フロクマリン類

　フロクマリン類は光毒性反応をもたらし，紅斑や水泡，炎症や色素沈着を誘発する可能性があります．これはフロクマリン類の分子が紫外線（UV）のエネルギーを蓄積したあとに一気に放出し，皮膚に傷害を与えるためです．ベルガモット精油は柑橘系精油として人気がありますが，外用で用いたあと，使用部位に紫外線を浴びるとベルロック皮膚炎（または，ベルガプテン皮膚炎）といった光毒性反応を起こすので注意が必要です．フロクマリン類に分類される精油成分とそれを含む精油には，ベルガプテン（ベルガモット）やアンゲリシン（アンジェリカ）などがあります．フロクマリン類を含むベルガモット以外の柑橘系精油もありますが，圧搾法ではなく水蒸気蒸留法で製したものはフロクマリン類は回収されないので，この限りではありません．

　以上，精油成分の毒性について述べてきましたが，精油の毒性についての情報は精油を大量に誤飲，あるいは意図的に内服した結果生じたものが多く，「精油の内服は行わない」など，通常の使用法の範囲内であれば重篤な有害作用のリスクは少ないといえます．前途の精油成分の官能基と毒性との関係を表5に簡略にまとめます．

表4　けいれんやてんかんを誘発する可能性のある精油

精　油	含有成分	精　油	含有成分
ユーカリ	シネオール	セージ	ツヨン，カンファー，シネオール
フェンネル	フェンコン	タンジー	ツヨン，カンファー，シネオール
ヒソップ	ピノカンフォン，シネオール	ツーヤ	ツヨン，フェンコン，カンファー
ペニーロイヤル	プレゴン	ターペンタイン	ピネン？
ローズマリー	シネオール，カンファー	ワームウッド	ツヨン

表5　精油成分の官能基と毒性との関係

官能基	毒　性
フェノール	皮膚・粘膜刺激，肝・神経毒性
アルデヒド	皮膚・粘膜刺激，感作
ケトン	神経毒性
フロクマリン	光毒性
オキシド	皮膚・粘膜刺激，神経刺激

● 2 ● ケモタイプによる性質のちがい

　ケモタイプとは化学種と訳され，同一学名の植物であっても生育する土壌や太陽光線の量，水質，気温などのビオトープ（生物群集の生活環境）の違いによって，その植物から抽出される精油中の含有成分が，標準タイプに比べて著しく異なるものをいいます．

　したがって，ケモタイプの場合はその含有成分の特徴を知り，目的に応じた使い分けをすることが必要です．ケモタイプの存在が知られているタイムを例にとると，タイムには次の7つのタイプの精油があることが知られています．なお，学名表記のctはケモタイプを示します．

　①*Thymus vulgaris ct cineol*
　②*Thymus vulgaris ct linalol*
　③*Thymus vulgaris ct geraniol*
　④*Thymus vulgaris ct terpineol*
　⑤*Thymus vulgaris ct thuyanol*
　⑥*Thymus vulgaris ct thymol*
　⑦*Thymus vulgaris ct carvacrol*

⑥と⑦はフェノール類の含有量が多いので毒性に注意が必要ですが，②と③はアルコール類の含有量が多く，たとえば，かぜ症状の咳などにマッサージオイルを胸部や背部にやさしく塗布するなどの活用法があります．

　次に，ローズマリーは以下の3つのケモタイプが知られています．

　①*Rosmarinus officinalis ct camphor*
　②*Rosmarinus officinalis ct cineol*
　③*Rosmarinus officinalis ct verbenone*

ローズマリーは脳機能の賦活などを目的に芳香浴で用いられることがありますが，①と③はケトン類が多いので芳香浴には不適となります．①は筋肉痛などにオイルマッサージで，②は呼吸器系の不調に芳香浴で，③は肺のうっ血除去に塗布で用いるなどの活用法があります．

● 3 ● 異性体による性質のちがい

　精油成分には異性体が存在し，異性体間で匂いや作用が異なるものがあることも知られています（表6）．光学異性体の例として，スペアミント精油に含まれる（−）−カルボンはスペアミント様のハッカ臭をもちますが，キャラウェイ精油に含まれる（＋）−カルボンはキャラウェイ様の薬品臭をもちます．また，（＋）−リモネンは抗不安作用を示しますが，（−）−リモネンは示さないとの報告があります．

表6 精油および含有成分

精油成分	精油
(+)-リモネン	柑橘系精油，キャラウェイ
(-)-リモネン	ペパーミント
(+)-リナロール	ローズウッド，コリアンダー
(-)-リナロール	ラベンダー，クラリセージ
(+)-カルボン	キャラウェイ，ディル
(-)-カルボン	スペアミント

関連情報

●精油の経口毒性

香粧品香料の安全性に関する研究機関であるResearch Institute for Fragrance Materials (RIFM) による精油の経口毒性のデータを示します (表7). なお, 香粧品業界での精油使用の目的や使用濃度は, アロマセラピーで精油を用いる場合と異なりますので, RIFMのデータをアロマセラピーの施術に準用することはできません.

●第十五改正日本薬局方収載の精油

第十五改正日本薬局方に収載されている精油の主成分と適応について記載します (表8).

●ドイツ・コミッションEモノグラフ収載の精油成分

コミッションEは, 植物性の生薬と医薬品製剤の安全性と有効性を評価・承認するために, 1978年にドイツ政府によって設立された専門委員会です. コミッションEが編集したモノグラフに収載されている精油の成分, 作用, 適応について記載します (表9).

表7 RIFMによる精油の経口毒性試験 (ラット)

精油	LD_{50} (g/kg)	精油	LD_{50} (g/kg)
ボルドー葉	0.13	バジル	1.40
ペニーロイヤル	0.40	バーチ	1.70
ツーヤ	0.83	ティートリー	1.90
ワームウッド	0.96		

・LD_{50} が2.0〜5.0 (g/kg) の精油：カンファー, ベンゾイン, ベルガモット, ユーカリ, ローマンカモミール, クラリセージ
・LD_{50} が5.0 (g/kg) 以上の精油：ゼラニウム, ローズオットー, ラベンダー, ジュニパー, イランイラン, ローズマリー

表8 第十五改正日本薬局方収載の精油

精油	主成分	適応
ウイキョウ油	アネトール50〜60%	賦香料ですが，配合剤（胃腸薬）の原料とすることがあります．1日最大分量0.08g.
オレンジ油	d-リモネン約90%	賦香料（製剤用）とします．
ケイヒ油	シンナムアルデヒド 総アルデヒド60%以上	賦香料（製剤用）としますが，ケイヒ末と同様に芳香健胃薬とすることがあります．
テレビン油	α-ピネン，β-ピネン	皮膚刺激薬として神経痛などに外用（塗布）します．
チョウジ油	オイゲノール70〜85% 総オイゲノール80%以上	局所麻酔作用と弱い鎮痛作用，殺菌作用があります．
ハッカ油	メントール30%以上	芳香健胃薬として配合剤（胃腸薬）の原料とし（1日最大分量0.03g)，また，局所（外皮）刺激剤（パップ剤，プラスターなど）の製造原料とします．
ユーカリ油	シネオール70%以上	賦香料としますが，うがい薬，および去痰薬（配合剤）に添加されます．

表9 コミッションEモノグラフ収載の精油成分と適応

種類	精油成分	作用	適応
ユーカリ	1,8-シネオール70〜85% α-ピネン	分泌促進，去痰，鎮痙，発赤	上気道カタル，リウマチ
フェンネル	トランスアネトール50〜70% フェンコン9〜22% エストラゴール5%以下	胃腸運動の促進，気道分泌	消化不良，鼓腸，上気道カタル
ニアウリ	1,8-シネオール35〜60% α-テルピネオール リモネン	抗菌，循環促進	上気道カタル
ペパーミント	l-メントール44%以上 メントン	鎮痙，駆風，利胆，抗菌，分泌促進，冷却	胃部不快感，過敏性腸炎，呼吸器カタル，筋肉痛，神経痛
パインニードル	α-ピネン，d-リモネンなど50〜97% 酢酸ボルニル 1,8-シネオール	分泌促進，局所血流増大，防腐	上気道・下気道カタル，リウマチ，神経痛
ファーニードル	α-ピネン，d-リモネンなど90% 酢酸ボルニル	分泌促進，局所血流増大，防腐	上気道・下気道カタル，リウマチ，神経痛
ミント （和種ハッカ）	酢酸メチル3〜17% l-メントール42%以上 メントン25〜40%	駆風，利胆，抗菌，分泌促進，冷却	鼓腸，胃腸・胆嚢の不調，上気道カタル，筋肉痛，神経痛

(Bundesinstitut fur Arzneimittel und Medizinprodukte：The Complete German Commission E Monographs：Therapeutic Guide to Herbal Medicines, Mark Blumenthal et al eds., Thieme Medical Pub, 1998)

C 薬学的視点からみるアロマセラピー

1 精油の品質管理

1 ● 表示の確認

精油を購入する際には，次の項目をチェックします．

❶原植物名（学名）

精油を購入する際は，必ず一般名ではなく学名で確認します．学名とは，学術上の便宜のために生物の種につける世界共通の名称をいいます．国際命名規約により植物学者リンネが考案した二名法に従って，ラテン語でイタリック体で表記します．属名と種小名より成ります．学名が変更される場合もありますので，注意が必要です．

❷産出国・産出地域

精油は天然物なので，原料植物が生育する環境の影響（具体的には土壌・水質・光線など）を強く受けます．品質のよい精油の産地は名産地として知られています．また，現地では品質の維持・向上に努力しているので，産地の確認は品質をチェックする際の目安になります．たとえば，ゼラニウム精油ではフランス領レユニオン島産のものが，ローズ精油はブルガリア産やトルコ産のものが高品質です．

❸抽出部位

同じ原料植物であっても抽出部位によって得られる精油成分は大きく異なるので，抽出部位を必ず確認します．たとえば，ジンジャーの根茎と葉の精油成分は大きく異なります．

❹抽出方法

前述した抽出部位と同様に，同じ原料植物であっても抽出方法によって得られる精油成分は大きく異なるので，抽出方法を必ず確認します．たとえば，同じローズでも水蒸気蒸留法で得たローズオットーと，溶剤抽出法で得たローズアブソリュートの精油成分は大きく異なります．

❺容　器

精油は紫外線によって成分の変化（劣化）が早まるので，遮光のため褐色ガラスビンに充填されているものがよいでしょう．また，精油が1滴ずつ落ちるドロッパーのついているものを選びます．

2 精油の品質管理

天然物である精油の品質を管理するには，官能検査と機器分析があります．官能検査はヒトが五感を使ってチェックする方法であり，機器分析では次に示すような指標で評価を行います．

❶ 物理的特性

【比重】

一般に精油の比重は水よりも軽いが，クローブ（丁子）のように水より重たいものもあります．

【屈折率】

精油の屈折率は一定範囲の数値を示すので，不純物の混入があれば確認することができます．

【旋光度】

光学活性物質は立体構造の違いにより互いに鏡像関係にあるのでd体，l体のいずれか一方が存在します．合成された精油ではこれらの等量混合体（dl体）が得られ，旋光度を示しません．

表10に第十五改正日本薬局方に収載されている精油の規格を示します．

【吸光度】

可視，および紫外線吸収スペクトルはその物質の化学構造によって定まるため，種々の波長における吸収を測定して物質を確認することができます．

上記以外に物理的特性として，引火点や粘性を調べる方法もあります．

❷ 化学的特性

アルコール含有量，アルデヒドまたはケトン含有量，エステル含有量，酸価，ケン化価などの値で評価する方法があります．また，精油の種類によっては特定の精油成分の含有量で品質を評価するものもあります．以下に，それらの具体例を示します．

【ラベンダー】

酢酸リナリルを主とするエステルの含有量でグレード分けする方法があります．ラベンダー精油に含まれるエステルの含有量は最大で55％程度ですが，一般にエステル含有量が多いほうが1,8-シネオールやカンファーなどの刺激成分の含有量が少なく，また，鎮静・鎮痙作用に優れます．

【ユーカリ】

1,8-シネオールの含有量でグレード分けする方法があります．1,8-シネオールはユーカリ精油の抗菌・抗ダニ作用の主要成分であり，イギリス薬局方では1,8-シネオール80％以上を規定しています．

【ティートリー】

テルピネン-4-オールと1,8-シネオールの含有量でグレード分けする方法があります．オー

表10 精油の規格

精油名	比　重	屈折率	旋光度
オレンジ油	0.842～0.848	1.472～1.474	＋85～＋99°
ユーカリ油	0.907～0.927	1.458～1.470	—

ストラリアの公的な標準規格ではテルピネン-4-オール30％以上，かつ1,8-シネオール15％以下を規定しています．テルピネン-4-オールはティートリー精油の抗菌・抗真菌作用の主要成分であり，1,8-シネオールは皮膚・粘膜の刺激成分であるためです．

❸ その他の分析法

ガスクロマトグラフィー質量分析法（GC-MS）などの機器分析を行う方法があります．最近では，同位体分析法による精油の評価も実用化されています．

実際の精油の品質管理においては，1つではなくいくつかの指標での評価を組み合わせて行います．また，官能検査と機器分析を併用するべきです．品質評価といっても，アロマセラピーの場合は使用目的によって評価が異なる場合があります．鎮静を目的にラベンダー精油を用いる場合はエステル含有量が多いものが良品ですが，防虫を目的に用いる場合は，忌避作用をもつ1,8-シネオールや，カンファーを多く含むもの（エステル含有量が少ないもの）が良品となります．

2 精油の剤形と製剤

アロマセラピーでは目的に応じて精油をさまざまな剤形に調製して用います．精油は液体なので容易に基剤に希釈，または分散させることができます．

1 精油の製剤に用いる基剤

アロマセラピーでは精油の品質にこだわるのは当然ですが，基剤の適否は施術のアウトカムにダイレクトに影響するので，基剤の品質にも十分注意します．

次にあげる基剤のうち，❶～⓫は第十五改正日本薬局方に収載されています．

❶ 精製水　purified water

常水を超濾過，イオン交換，蒸留，またはそれらの組み合わせにより精製した水です．

❷ エタノール　ethanol

15℃でエタノール95.1～96.9vol％を含みます．皮膚・粘膜には刺激性，および収れん性を有します．一般に，適当に薄めたエタノールは皮膚の冷却，収れん，清浄に用いられます．

❸ 無水エタノール　anhydrous ethanol

15℃でエタノール99.5vol％以上を含みます．外用には刺激が強く，かつ殺菌効力も劣ります．

❹ 消毒用エタノール　ethanol for disinfection

15℃でエタノール76.9～81.4vol％を含みます．濃度約70％は至適濃度と称してよいでしょう．

❺ グリセリン　glycerin

グリセリン84.0～87.0％を含みます．水，またはエタノールと混和し，吸湿性です．外用では皮膚・粘膜面を保護・軟化する目的で，口唇の亀裂，ひび，あかぎれ，皮膚の荒れなどに用います．

❻ **黄色ワセリン　yellow petrolatum**

石油から得た炭化水素類の混合物を精製したものです．

❼ **白色ワセリン　white petrolatum**

石油から得た炭化水素類の混合物を脱色して精製したものです．水・エタノールにほとんど溶けません．軟膏基剤，化粧品基剤として広く用いられ，また外界との接触，および水分の蒸散が遮断できるので，手足の保護やひび，あかぎれに薄く塗布して用いられます．

❽ **ミツロウ　yellow beeswax**

ヨーロッパミツバチ，またはトウヨウミツバチなどのミツバチの巣から得たロウを精製したものです．融点は60〜67℃です．主成分は高級脂肪酸と高級アルコールのエステルで，軟膏基剤として用いられます．

❾ **サラシミツロウ　white beeswax**

ミツロウを漂白したものです．

❿ **カカオ脂　cacao butter**

カカオの種子から得た脂肪で，主成分はパルミチン酸，ステアリン酸，オレイン酸などです．融点は31〜35℃で坐薬の基剤になります．わずかにチョコレートのような匂いがありますが，敗油性の匂いはありません．

⓫ **カオリン　kaolin**

天然に産する含水ケイ酸アルミニウムです．吸着性にすぐれるため，古くから吸着剤として外用と内用に供されました．カオリンパップとして消炎薬に用いるほか，種々の製剤の賦形剤や精製したもの（精製カオリン）は化粧品の製造原料になります．

⓬ **シア脂　shea butter**

シアの種子から採取する半固形状の油脂で，主成分はステアリン酸とオレイン酸です．融点は23〜45℃です．

⓭ **植物油　vegetable oil**

オイルマッサージで用いられる植物油の役割には，精油の希釈溶媒としての役割とともに，植物油そのものの機能があります．以下によく用いられる6種の植物油についてその特徴を述べます．

【ホホバ油】

ホホバ油の主成分は不飽和の高級脂肪酸と不飽和アルコールとのエステルです．したがって，ホホバ油は正確には油脂ではなく植物性の液体ロウ（ワックス）です．このためホホバ油は酸化しにくく，浸透性や保湿力に富むため，アロマセラピーのキャリアオイルとしてもっとも使われています．ロウであるため，気温が5℃以下になると固まることがありますが，室温が10℃になれば元に戻ります．ホホバ油は髪のキューティクル保護にも適しているため，シャンプーなどのヘアケア製品の原料としてもよく用いられています．

【マカデミアナッツ油】

皮脂には，皮膚や血管の若さを保つパルミトレイン酸 palmitoleic acid（POA）がおよそ19%ほど含まれています．マカデミアナッツ油はそのPOAを皮脂と同程度含みます（表11）．このた

C. 薬学的視点からみるアロマセラピー

表11　各種植物油の脂肪酸組成

	パルミトレイン酸	オレイン酸	リノール酸	αリノレン酸	γリノレン酸
記　号	C16:1	C18:1	C18:2	C18:3	C18:3
分　類	ω7	ω9	ω6	ω3	ω6
マカデミアナッツ油	22.3	58.6	1.7	2.6	—
スイートアーモンド油	0.6	64.7	26.1	—	—
ヘンプ油	—	12.0	57.0	20.0	3.0
小麦胚芽油	0.1	16.7	55.6	6.4	—
月見草油	0.1	6.7	74.9	0.3	9.0

めマカデミアナッツ油は皮膚へのなじみがよく刺激が少ないのが特徴で，高級化粧品の原料としても用いられています．全脂肪酸のうちPOAやオレイン酸などの単価不飽和脂肪酸が80％近くを占めるため，ホホバ油と同じくらい酸化しにくい長所があり，オイルマッサージのキャリアオイルとしても適しています．

【スイートアーモンド油】

スイートアーモンド油は皮膚を乾燥から守り，柔軟化する作用があります．コスト面でもすぐれているため，ホホバ油と同様に，オイルマッサージのキャリアオイルとしてもっとも繁用される植物油の1つです．同じバラ科のアプリコットカーネル油やピーチカーネル油と似た性質をもち，化粧品原料としてもよく使われています．単価不飽和脂肪酸のオレイン酸をおよそ65％と多く含みますが，多価不飽和脂肪酸のリノール酸をおよそ25％含むため（表11），ホホバ油やマカデミアナッツ油と比べて酸化しやすく保管に注意が必要です．

【ヘンプ（麻の実）油】

ヘンプ油はヘンプシード（麻の実）を圧搾して得た油脂で，炎症やアレルギー体質を改善する働きをもつω3系脂肪酸のαリノレン酸をおよそ20％含み，月見草油の機能性成分であるγリノレン酸をおよそ3％含みます（表11）．また，ヘンプ油は皮膚への浸透性や保湿力に富むため，オイルマッサージのキャリアオイルとしてだけでなく，美容を目的としたスキンケアオイルの基剤として用いられています．さらに小麦胚芽油を10％加えることで酸化を防ぎ，美容効果も高めることができます．

【小麦胚芽（ウィートジャーム）油】

小麦胚芽油はビタミンE（トコフェロール）を多量に（およそ0.2～0.5％）含んでいます（表12）．ビタミンEには抗酸化作用や血行促進作用，それにホルモン分泌や自律神経調整作用があるため，ほかの植物油に10％程度加えることで，こうした作用を付加することができます．なお，トコフェロールにはα型，β型，γ型，δ型の4種がありますが，ビタミンEとしての効力はα型がもっとも強くなります．また，脂溶性ビタミンであるビタミンEは，水溶性ビタミンであるビタミンCとともに細胞膜を活性酸素などの攻撃から守っています．

表12 小麦胚芽油と大豆油中のトコフェロールの割合 (mg/100g)

	総トコフェロール (mg)	α型	β型	γ型	δ型
小麦胚芽油	250〜520	115.3	66.0	—	—
大豆油	125〜280	9.4	—	63.0	23.2

【月見草(イブニングプリムローズ)油】

月見草油はγリノレン酸を多量(およそ8〜9%)に含んでいます(表11).γリノレン酸は体内でプロスタグランジンの代謝を調整して消炎作用などをもたらすため,ほかの植物油に10%程度加えることでこうした作用を付加することができます.月経前症候群やアトピー・リウマチなどのアレルギー性疾患,脂質代謝の不調による肥満,カルシウム代謝の不調による爪や髪の弱質化,神経過敏の改善などを目的に用いられます.なお,月見草油はカプセル剤で内服される場合もあります.

⑭ 浸出油　infused oil

浸出油はハーブを植物油に漬け込んでハーブの有効成分を溶出させたものです.その際に湯煎などで加熱して行う方法を温浸法といい,できたものを温浸油といいます.一方,太陽の熱で行う方法を冷浸法といい,できたものを冷浸油といいます.一般に溶出させる成分が精油の場合は温浸法で行い,そうでない場合は冷浸法で行います.浸出油はすでに有効成分を含んでいるのでそのまま内・外用したり,オイルマッサージのキャリアオイルに適量を加えて用いるなどの方法があります.以下に繁用されているカレンデュラ油,セントジョンズワート油,キャロット油の3種の冷浸油について,その特徴を述べます.

【カレンデュラ油】

カレンデュラ油はカレンデュラ(ポットマリーゴールド)の花をヒマワリ油などの植物油に2〜3週間漬け込み,太陽の熱で有効成分であるカロテノイド色素のルテインやリコピンを溶出させたものです.このためカレンデュラ油は淡黄色を示します.カレンデュラ油の使用法は浸出油のまま,あるいはミツロウと混合してカレンデュラ軟膏を作り,創傷や毛細血管の損傷,静脈瘤や痔疾,湿疹,授乳中の乳首ケア,おむつかぶれなどに用います.こうした広い用途から,カレンデュラ軟膏は万能軟膏の名で知られています.

【セントジョンズワート油】

セントジョンズワート油はセントジョンズワートの花や地上部をオリーブ油などの植物油に2〜3週間漬け込み,太陽の熱で有効成分である赤色色素のヒペリシンなどを溶出させたものです.このためセントジョンズワート油は赤色を示します.セントジョンズワート油の使い方は浸出油のまま,あるいはミツロウと混合してセントジョンズワート軟膏を作り,神経痛やリウマチ,神経のしびれ,外傷,やけどなどに用います.なお,ヒペリシンは光感応素ですが,浸出油を外用する場合には光毒性のリスクは少なくなります.

【キャロット油】

キャロット油は細断したキャロットの根をヒマワリ油などの植物油に2〜3週間漬け込み,太

表13　目的別の植物油のブレンド例

美容を目的としたスキンケアオイル	マカデミアナッツ油50%　ヘンプ油40%　小麦胚芽油10%
消炎・鎮痛を目的としたキャリアオイル	マカデミアナッツ油80%　セントジョンズワート油10%　小麦胚芽油10%

陽の熱で有効成分であるカロテノイド色素のβカロテンやαカロテンなどを溶出させたものです．このためキャロット油は赤色を示します．キャロット油の使用法は浸出油のまま，あるいはミツロウと混合してキャロット軟膏を作り，主婦湿疹やひび，あかぎれ，妊娠線やシミとシワの予防，口唇や歯肉のケア，瘢痕などに用います．なお，キャロット油とキャロット精油は混同される場合がありますが，後者はキャロットの種子を蒸留して得た精油で，まったく別物です．

わが国では，キャリアオイルについてはホホバ油やマカデミアナッツ油など単品で用いる場合が多いですが，植物油の機能性や粘度，テクスチャーなどを考慮して，いくつかの植物油や浸出油をブレンドするとよいでしょう（表13）．

⑮ 芳香蒸留水　hydrosol

芳香蒸留水（ハイドロゾル，またはイドロラ）は一般にフローラルウォーターとも呼ばれ，精油の蒸留の際に生成する芳香成分を含んだ水をいいます．ちなみに，日本薬局方の製剤総則にある芳香水剤（アロマティックウォーター）は，精油または揮発性物質を強制的に飽和させた澄明な水溶液であり，芳香蒸留水ではありません．なお，同じ原料植物から採れる芳香蒸留水と精油の成分は共通するものもありますが，まったく異なるものもあります．

芳香蒸留水の多くは弱酸性を示し，抗菌・消炎・収れんなど多様な機能をもちます．芳香蒸留水に含まれる揮発性成分の濃度は0.01〜0.1％であり，精油に比べて皮膚への刺激が少ないため，香粧品原料として適しています．1例をあげると，ローズ水はそのまま化粧水として使用することができ，保湿性を高めるため植物性グリセリンを1〜5％加えれば，古典的な化粧品として知られるグリセリンローズウォーターができます．また，ガレノスのコールドクリームは，ミツロウ（ミツバチが作ったロウ物質）を乳化剤として，スイートアーモンド油とローズ水で作られたものになります．

芳香蒸留水とハーブティーを比べると，芳香蒸留水が優れている点として，保存性や揮発性成分の量と浸透性があげられます．一方，芳香蒸留水はポリフェノール類を含まないため，一般に抗酸化力はハーブティーに比べて劣ります．いずれにしても芳香蒸留水とハーブティーと精油は補完関係にあり，たとえば精油を用いたローション剤や湿布剤，入浴剤に，あるいはハーブティーやチンキ剤に同一植物の芳香蒸留水を加えることは，植物の全体性を回復するうえで興味深いものです．なお，欧米ではローズ水やネロリ水などの芳香蒸留水を，原液または希釈して飲用する場合もありますが，ハーブティーに比べて揮発性成分を10〜100倍も含むため，安全性の配慮が必要です．次に数多くの芳香蒸留水のなかから繁用されている，ローズ・ネロリ・ラベンダーの3種について特徴を記します．

【ローズ水：原料　*Rosa damascena*】

　ローズの香りは女性に人気が高いため「香りの女王」と呼ばれ，もっとも長い歴史をもつ芳香蒸留水です．ローズ水に含まれる揮発性成分は主にフェニルエチルアルコールが多くを占め，シトロネロールやゲラニオールも含まれます．フェニルエチルアルコールは，抗不安作用とともに緩和な抗菌作用や昆虫の忌避作用をもちます．皮膚に対しては収れん性をもつため，化粧水として用いると肌を引き締め小さな出血を止めます．このため，ローズ水は古くから空間を清めるために撒かれたり，化粧水原料や湿布液，また眼や口の洗浄液として用いられています．

【ネロリ水：原料　*Citrus aurantium*】

　ネロリ水の原料はビターオレンジの花なので，オレンジフラワー水とも呼ばれ甘く濃厚な香りを漂わせます．ネロリの名はネロラ王国の女王アンナ・マリアがこの花の香りを愛し，イタリアの社交界に広めたことによります．ネロリ水に含まれる揮発性成分はリナロールやα-テルピネオール，それにローズ水の成分であるフェニルエチルアルコールや窒素を含むアントラニル酸メチルなどです．ネロリ水の香りはある種の高揚感と深い鎮静をもたらすことから，古くからオーデコロンの原料として，また，料理や菓子のフレーバーとして用いられています．デリケートな精神状態の乳児に与える方法もあります．

【ラベンダー水：原料　*Lavandula angustifolia*】

　アロマセラピーでもっとも繁用されるラベンダー精油を蒸留で得る際に生成するラベンダー水は，清楚な香りを漂わせます．ラベンダー水に含まれる揮発性成分は，リナロールやα-テルピネオール，それにクマリンやテルピネン-4-オールなどで，ラベンダー精油の主要成分である酢酸リナリルはほとんど含みません．リナロールは鎮静・鎮痙・鎮痛作用に加え，抗不安作用や消炎作用をもちます．ラベンダー水は皮膚に対して細胞の新陳代謝を調整するため，損傷を受けた皮膚ややけど，日焼けなどに，ローションや湿布，クリームなどの剤形で用いられます．

2 ● 精油の剤形

　精油の剤形については，日本薬局方の製剤総則が参考になります．製剤総則は2011年4月に公示される第十六改正日本薬局方で全面的に改正される予定ですが，ここでは第十五改正日本薬局方収載の剤形に従い，そのうち参考となる8種を以下にあげます．

❶ エアゾール剤　aerosols

　医薬品の溶液などを容器に充填し，用時噴出して用いるように製したものです．外用塗布・空間噴霧・吸入・内服などの目的で用いられます．

❷ 経皮吸収型製剤　transdermal systems

　皮膚に適用したときに，有効成分が皮膚を通して全身循環血流に送達すべく設計された製剤です．ただし局所患部へ適用する製剤は「貼付剤」として別に定められています．

❸ 酒精剤　spirits

　精油などの揮発性医薬品をエタノール，またはエタノールと水の混液で溶かした液状の製剤です．また酒精剤が精油などを単に溶媒に溶解して製するのに対し，「チンキ剤」は生薬を用い，有効成分を抽出して製したものと規定されています．

❹ 軟膏剤　ointments

　適切な稠度の全体を均質な半固形状に製した皮膚に塗布する外用剤です．本剤のうち乳化した基剤を用いたものをクリームと称します．これらのなかで水を含むものは細菌に汚染されやすく，防腐剤などの添加が必要となります．また，不飽和脂肪酸類を含有する基剤は酸化による変質を起こすため，適当な酸化防止剤の添加が必要となります．

❺ パップ剤　cataplasms/gel patches

　医薬品と水を含む混合物を泥状に製するか，または布上に展延・成型して製した外用剤です．日本薬局方収載のカオリンパップは，吸着性のあるカオリンが疾患部から細菌代謝産物や毒素などの起炎物質を吸収することを期待し，また脱水した濃グリセリンの吸湿性，乾燥遅延の性質を利用した湿布用製剤で，精油成分により皮膚に軽い刺激を与え，表面から水分や分泌物を吸収して炎症や疼痛を軽減させる目的で用いる製剤です．

❻ 芳香水剤　aromatic waters

　精油，または揮発性物質を飽和させた澄明な水溶液です．

❼ リニメント剤　liniments

　液状，または泥状に製した皮膚にすり込んで用いる外用剤です．ローション剤と軟膏剤の中間の稠度をもつ流動性の製剤が多くあります．リニメント剤は損傷のない皮膚に塗擦して用いるのに対し，後述のローション剤は塗擦なしで用います．

　また精油を植物油で希釈したマッサージオイルは，リニメント剤のなかの油性溶液型製剤にあたります．油性溶液型製剤はエタノール性溶液型に比べて刺激が少なく，また皮膚に展延しやすくなります．エタノール性溶液型よりも浸透性は劣るが作用が緩和なため，マッサージを必要とする場合にもっとも有用です．

❽ ローション剤　lotions

　医薬品を水性の液中に溶解，または乳化もしくは微細に分散し，均質に製した皮膚に塗布する液状の外用剤です．水性の液体は通例，常水，または精製水が用いられ，これに乾燥をはやめ冷感効果を与えるエタノール，比較的長時間皮膚の湿潤を保ち主成分を皮膚面に定着させる作用のあるグリセリンなどの水溶性溶剤が，目的により配合されます．

　実際にアロマセラピーで精油を用いるときの剤形と処方については，症状別のケア（p.111～）を参考にしてください．

3 精油と医薬品の薬物相互作用

1 精油の体内動態

　ラベンダー精油を2%濃度に希釈したマッサージオイルでヒトの腹部をマッサージし，腕から血液を採取して血漿中の酢酸リナリルとリナロールを定量した結果，2つの成分ともおよそ20分後にピークに達し，90分で消失したという報告があります（図16）．こうした報告事例は少なく，精油の体内動態については研究が始まったばかりといえます．アロマセラピーの臨床応用を進めるには，研究の推進が不可欠です．
　以下に，基本的な精油の体内動態についてまとめます．

❶ 吸　収　absorption

　一般に分子量が500以下の脂溶性成分は経皮吸収が可能とされます．したがって，精油は容易に経皮吸収され，肝臓の初回通過効果を受けずに全身循環に入ります．皮膚から吸収される精油はおよそ4～25%（密閉法で75%）であり，皮膚の全層（表皮・真皮・皮下組織）に浸透するのにおよそ20～60分かかります．ここでの「浸透」とは，角質上に適用した物質が角層や深部表皮中に浸み込むことを，「吸収」とは全身循環系に物質が取り込まれることを意味します．
　なお，精油の経皮吸収を促進する要因としては，表14に示すようなものがあります．

❷ 分　布　distribution

　脂溶性の高い成分は脳などに，水溶性の高い成分は副腎，腎臓，運動中の骨格筋など，それぞ

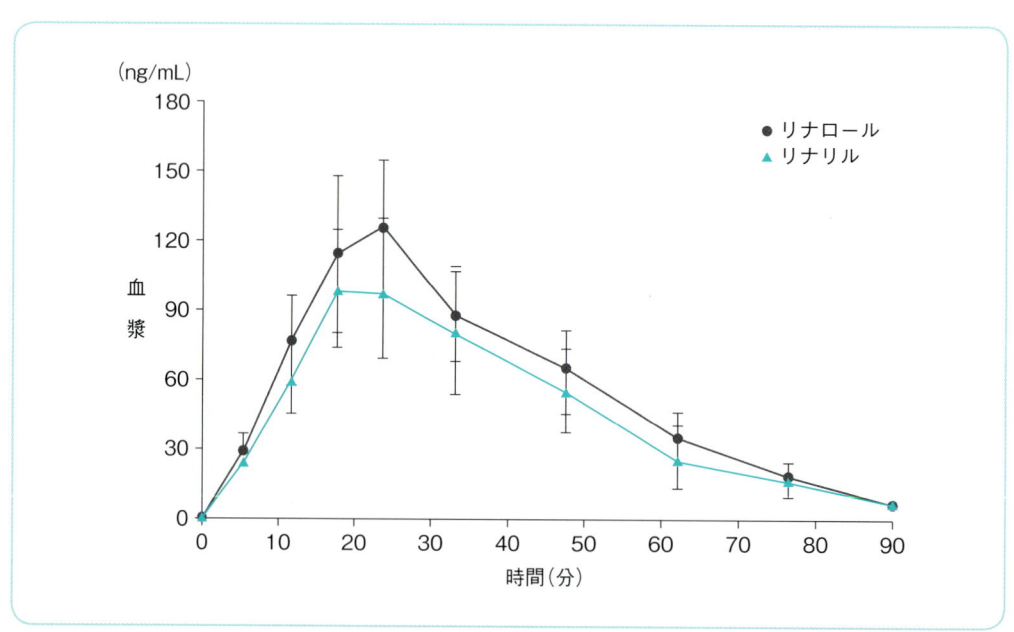

図16　マッサージによってラベンダー油を適用したあとのリナロールとリナリルアセテートとの血中レベル
（ロバート・ティスランドほか，高山林太郎訳：精油の安全性ガイド 上巻，p.13，フレグランスジャーナル社，1996）

表14　精油の経皮吸収を促進する要因

a) 分子量が小さい
b) 脂溶性
c) 皮膚の傷害
d) 精油の揮発性が高い（ただし，蒸散も速い）
e) 皮膚の温度が高い（ただし，蒸散も速い）
f) 皮膚の保水性が高い
g) 密閉（d, e, fとの関係）
h) 剤形（エタノール・石けん・洗剤などの溶媒）
i) 経皮吸収促進物質の共存
j) 粘性の低いキャリアオイル（亜麻仁油など）
k) マッサージなどの物理的刺激
l) その他

れ多量の血液がある環境に長く留まると考えられます．また，精油成分は血漿タンパクと結合し不活化します．

❸ 代　謝　metabolism

　精油は主に肝臓で代謝を受けますが，皮膚にもエステラーゼやシトクロムP450があり，また嗅上皮にもシトクロムP450が存在します．精油の代謝は第Ⅰ相反応で肝シトクロムP450による酸化や加水分解を受け，第Ⅱ相反応でグルクロニド抱合などを受けます．

　精油の代謝について研究報告は少ないですが，いくつか報告があります．たとえば，酢酸リナリルは血清エステラーゼによって酢酸とリナロールに加水分解され，酢酸は速やかにTCA回路に入りますが，リナロールはシトクロムP450で酸化されたあと，グルクロニド抱合されます．シンナムアルデヒドはシトクロムP450で酸化され，安息香酸になり，次いでグリシンと抱合して馬尿酸となり尿中に排泄されます．またリモネンはシトクロムP450で酸化され，トランスカルベオールやペリリルアルコールなどに代謝されます．ちなみに，ペリリルアルコールは肝がんの細胞に対してアポトーシス誘導効果をもつと報告されていることは興味深いものです．

　なお，同じ精油成分であってもヒトと動物とで代謝が異なる場合もあります．たとえば，ローズアブソリュートに含まれるフェニルエチルアルコールは，ラットに経口投与すると毒性を示しますが，ヒトの場合は代謝を受けて非毒性のフェニル酢酸に変わります．ネコやフェレットは第Ⅱ相反応でグルクロン酸との抱合力が弱く，精油成分の代謝がうまくできないため，肝障害を起こす可能性があります．動物への精油や芳香蒸留水の使用については，このような点に対しての注意や配慮が必要です．

❹ 排　泄　excretion

　代謝を受けた精油成分のほとんどは水溶性となり尿中に排泄されますが，精油は揮発性が高いため，呼気で排泄されるものもあります．また，少量ですが糞便中や皮膚を介して排泄されるものもあり，さらに母乳中へ排泄（分泌）される可能性も指摘されています．

2　精油の薬物相互作用

　精油と医薬品との相互作用について知っておくべきことは，次のようなことです．

　まず，エタノールの効果よりは小さいですが，ペパーミントなどの精油およびホホバ油などの植物油が，アミノフィリンの経皮浸透を促進したという報告や[1]，ニアウリ精油による脂溶性物質（女性ホルモン剤など）の皮膚透過性促進効果を認めたという報告などから[2]，精油が薬物経皮

吸収に影響を及ぼす可能性があるということ，また，ウィンターグリーン精油の主要成分であるサリチル酸メチルは，抗血小板薬アスピリン同様に血小板凝集を抑制したという報告や[3]，ペパーミントなどの精油およびそれらの主な精油成分であるオイゲノール，カルバクロールなどについて，アラキドン酸によって惹起される血小板凝集の抑制能がどのようなものであるかの検討において，バジル，ゼラニウム，ジャスミン，ペパーミントおよびローズウッドに顕著な抑制能がみられ，ジュニパー，ネロリもかなり高い阻害能を有し，さらにオイゲノールおよびカルバクロールに強い抑制能が確認されたという報告などから[4]，精油が血液凝固に影響を及ぼす可能性があるということです．

そして，カモミール精油およびその主要成分のヒトシトクロムP450に対する作用の検討において，カモミールはヒト薬物代謝酵素活性を阻害する成分を含んでいて，シトクロムP450（特に1A2）によって主に代謝排泄される薬物との相互作用を引き起こす可能性があることが示唆されるという報告や[5]，多くの精油に含有される成分であるオイゲノールにより，シトクロムP450同様に，肝臓での無毒化に関わる肝ミクロソーム薬物抱合酵素UDP-グルクロニルトランスフェラーゼ（UGT）の誘導形成が示唆されるという報告などから[6]，精油が肝薬物代謝酵素に影響を及ぼす可能性があるということも忘れてはいけません．

この他，光毒性をもたらす精油と光線過敏症を生じる薬剤との併用などにも注意が必要です．

文献

1) Wang LH et al.：Vehicle and enhancer effects on human skin penetration of aminophylline from cream formulations：evaluation *in vivo*. J Cosmet Sci, 58：245-254, 2007.
2) Monti D et al.：Effect of different terpene-containing essential oils on permeation of estradiol throuogh hairless mouse skin. Int J Pharm, 237：209-214, 2002.
3) Tanen DA et al.：Comparison of oral aspirin versus topical applied methyl salicylate for platelet inhibition. Ann Pharmacother, 42：1396-1401, 2008.
4) 茅原　紘ほか：ハーブ精油の血小板凝集抑制能．信州大学農学部紀要，33：1-8, 1996.
5) Ganzera M et al.：Inhibitory effects of the essential oil of chamomile (*Matricaria recutita* L.) and its major constituents on human cytochrome P450 enzymes. Life Sci, 78：856-861, 2006.
6) 横田　博ほか：植物精油成分オイゲノール投与によるラット肝ミクロゾームUDP-グルクロニルトランスフェラーゼの誘導形成．日本獣医学雑誌，52：105-111, 1990.

D 主要精油 8種のモノグラフ

　ここではアロマセラピーで使われている代表的な8種類の精油について，学名や科名，抽出部位や抽出方法，また主要成分や作用，注意や品質基準などについてモノグラフ形式でまとめています．こうした情報は，精油を安全，かつ有効に使用するために長い年月をかけて，経験的または科学的な視点に立ってまとめられてきたものなので，精油を実際に使用する前にしっかりと学習しておきましょう．また，それぞれの精油を用いた研究報告を3点ずつ掲載していますので，参考にしてください．

　なお，8種類の精油の選択方法については，学術論文が比較的多く備わっていて香りが好まれ，わが国で容易に入手可能なものに限って選びました．

品質基準について

　精油は天然物であるため，原料となる芳香植物の産地や収穫時期などによって成分に違いがあります．このため品質基準を設けることが難しく，現在まで国際的な統一基準はありませんが，参考になるものとしては，アメリカの食品化学物質規格表 Food Chemicals Codex (FCC) やフランスの精油国際規格 Association Francaise de Nomalostion (AFNOR)，それにスイスの国際標準化機構 International Organization for Standardization (ISO) があり，それぞれの基準をここに示します．

規制について

　国際香粧品香料協会 International Fragrance Association (IFRA) は，1973年にベルギーで設立された非営利の国際組織で，香料の安全性や規制に関する活動を行っています．IFRAでは，RIFM（後述）が実施した香料の安全性や評価に基づいて，香料の使用制限などについて自主規制を作成し，各国での遵守を推進しています．

安全性について

　香粧品香料原料安全性研究所 Research Institute for Fragrance Materials (RIFM) は，1966年にアメリカで設立された国際組織で，各国の香料会社や化粧品会社が会員となって運営されています．RIFMでは皮膚科学者や病理学者，毒物学者などから成る評価チームによって，皮膚刺激や感作性，代謝など，安全性に関する研究を行っています．

🌱 クラリセージ 🌱

　セージ(薬用サルビア)の近縁種であるクラリセージは，ホルモン分泌を調整するハーブとして知られ，月経痛や月経前症候群 premenstrual syndrome (PMS)，更年期の自律神経失調症などに用いられます．主要成分である酢酸リナリルなどのエステル類を精油成分中に70%程度も含有するため，強力な鎮痙作用と鎮静作用を有し，ジテルペンアルコールのスクラレオールはエストロゲン様作用を発揮します．クラリセージの語源であるクラルスは"明るい"や"澄んだ"を意味し，ふさぎこんだ気持ちを開放するため，心身相関的な作用を期待して芳香浴やオイルマッサージとして婦人科領域で用いられます．

- 学　名　　*Salvia sclarea*
- 英　名　　clary sage
- 科　名　　シソ科
- 主産地　　フランス，モロッコ
- 抽出部位　葉部，花部
- 抽出方法　水蒸気蒸留法
- 主要成分　酢酸リナリル 70〜80%，リナロール 5〜15%，スクラレオール 0.8〜2.0%
- 作　用　　鎮静，鎮痙，緩和，ホルモン分泌調整
- 注　意　　エストロゲン様作用，アルコールとの併用
- 品質基準　FCC：酢酸リナリルとして，48〜75%を含有すること
　　　　　　AFNOR：酢酸リナリルとして，66〜82%を含有すること
　　　　　　ISO：AFNORと同じ
- 規　制　　IFRA：規制なし
- 安全性　　経口LD_{50}：ラット 5.6g/kg　　経皮LD_{50}：ラビット >2g/kg
  (RIFM)　　皮膚刺激：マウス；記載なし，ラビット；穏やかな皮膚刺激あり
　　　　　　ヒト皮膚刺激：8%(希釈なし)　　ヒト皮膚感作：8%(希釈なし)
　　　　　　光毒性：なし

精油の有用性

❶ 月経痛・月経困難症に対する効果

　Hanらは，月経痛や月経困難症の症状緩和について，アロマセラピーの有効性を明らかにするために，女子大学生67人を対象として次のような無作為化比較試験を行いました．被験者は月経予定日1週間前から月経初日まで毎日15分間，クラリセージ，ラベンダーの精油を用いたマッサージオイルでのアロマセラピーマッサージを受けるアロマセラピー群，スイートアーモンド油のみでマッサージを受けるプラセボ群，そして何もしない対照群の3群に無作為に分けられ，各群の自己状態評価を月経痛のレベルを10段階で評価するビジュアルアナログスケール visual analogue scale (VAS)で比較したところ，月経痛のレベルはアロマセラピー群で顕著に低く，また，頭痛，疲労感，吐き気，下痢などの月経困難症の症状は，月経痛のレベル変化と同調し，

アロマセラピー群で緩和されることが明らかになったと報告しています[1]．これよりクラリセージ，ラベンダーを用いたアロマセラピーマッサージによって，月経痛および月経困難症の症状が緩和されることが示唆されています．

❷ 抗菌作用と細胞毒性

Hayetらは，クラリセージ花部からアセトンで抽出したエキスと，クラリセージに含有されるスクラレオール，スクレオリド，アンブロックスの3種の化学成分における抗菌作用と細胞毒性について調べていて，スクラレオールをはじめとする3種の化学成分は，黄色ブドウ球菌 *Staphylococcus aureus*，緑膿菌 *Pseudomonas aeruginosa*，大腸菌 *Escherichia coli*，フェカリス球菌（大便連鎖球菌）*Enterococcus faecalis* の生育を阻止して，優れた抗菌作用を示し，また，クラリセージエキスはヒト咽頭がん細胞（HEp-2）に対して顕著な細胞毒性を示したと報告しています[2]．

❸ 分娩時に助産師が実践するアロマセラピーの有用性：観察研究の結果

助産師が分娩時に行うアロマセラピーについて，出産婦さん8,058人の状況を，調査期間を8年としてBurnsらが調べた報告によると，分娩の状況は自然分娩から帝王切開までとさまざまで，分娩時に助産師は10種類の精油からいくつかを用いて，マッサージ，もしくは芳香浴によりアロマセラピーを実践したところ，分娩時の疼痛処置の減少や，帝王切開の件数減少というような効果は確認できませんでしたが，クラリセージとカモミールの2種の精油を用いることで，分娩時の疼痛が軽減されることが明らかになったと報告しています[3]．この調査により，アロマセラピーを出産時に活用することで，妊婦さんの不安や恐怖の低減，そして分娩時の疼痛緩和といった効果が期待できることが示唆されています．

文 献

1) Han SH et al.：Effect of aromatherapy on symptoms of dysmenorrhea in college students：A randomized placebo-controlled clinical trial. J Altern Complement Med, 12：535-541, 2006.
2) Hayet E et al.：Antibacterial and cytotoxic activity of the acetone extract of the flowers of Salvia sclarea and some natural products. Pak J Pharm Sci, 20：146-148, 2007.
3) Burns E et al.：The use of aromatherapy in intrapartum midwifery practice an observational study. Complement Ther Nurs Midwifery, 6：33-34, 2000.

🌱 ティートリー 🌱

　オーストラリア先住民であるアボリジニの人々が，はるか昔から伝統医学として用いたティートリー精油の特徴は，抗菌スペクトルの広さと，皮膚・粘膜への侵襲性の低さにあります．また，ティートリーは免疫系を賦活するともいわれ，吸入，塗布，洗浄，湿布などの方法で，かぜ，インフルエンザ，ヘルペス，膀胱炎，尿道炎，カンジダ症などの感染症や口腔粘膜のケアに用いられます．主要成分はテルピネン-4-オールとシネオールですが，オーストラリアの精油生産組合では，精油成分中に前者を30％以上含み，かつ後者が15％以下の精油を品質基準としています．

- ● 学　名　*Melaleuca alternifolia*
- ● 英　名　teatree
- ● 科　名　フトモモ科
- ● 主産地　オーストラリア，ジンバブエ
- ● 抽出部位　葉部
- ● 抽出方法　水蒸気蒸留法
- ● 主要成分　テルピネン-4-オール 30〜45％，1,8-シネオール 3〜15％
- ● 作　用　消炎，鎮痛，抗菌，免疫賦活
- ● 注　意　特になし
- ● 品質基準　FCC：記載なし
  　　　　　　AFNOR：記載なし
  　　　　　　ISO：記載なし
  　　　　　　［オーストラリアでの標準規格では，テルピネン-4-オール 30％以上，かつ1,8-シネオール 15％以下と規定されています（AS2782-1985）］
- ● 規　制　IFRA：規制なし
- ● 安全性　経口LD$_{50}$：ラット 1.9g/kg　　経皮LD$_{50}$：ラビット＞5g/kg
  　（RIFM）　皮膚刺激＊：マウス 2.5％（希釈なし）　　光毒性：なし
  　　　　　　＊Scientific Committee on Consumer Products（SCCP）資料

精油の有用性

❶抗ウイルス作用

　Garozzoらは，ポリオウイルス1型，ECHO9ウイルス，コクサッキーウイルスB群1型，アデノウイルス2型，単純ヘルペスウイルス1型（HSV-1）および2型（HSV-2）について，50％プラーク減少アッセイ法で，またインフルエンザウイルスについては細胞変性によるインフルエンザ活性阻害をみることで，ティートリー精油とその主成分であるテルピネン-4-オール，α-テルピネン，γ-テルピネン，p-シメン，テルピノレンおよびα-テルピネオールの抗ウイルス作用を検討した結果，ティートリー精油とテルピネン-4-オール，テルピノレン，α-テルピネオールは，インフルエンザA/PR/8ウィルスサブタイプH1N1の自己複製を，細胞毒性を示す量よりかなり低い0.0006％（v/v）で阻害し，ティートリー含有成分を単独で投与した場合は，どの成分も対

象とした6種のウイルスに対して抗ウイルス作用はみられなかったと報告しています[1]．また，全ウイルスに対して殺ウイルス作用はみられませんでしたが，ティートリー精油0.125% (v/v)でわずかにHSV-1，HSV-2に対して殺ウイルス作用がみられたと報告しています[1]．これらの結果から，ティートリー精油はインフルエンザA/PR/8ウイルスサブタイプH1N1に対して抗ウイルス作用があり，インフルエンザ感染のケアとして活用できることが示唆されています．

❷ 抗がん作用

Greayらは，マウスの培養がん細胞株であるAE17中皮腫細胞株およびB16黒色腫株にティートリー精油とその主成分であるテルピネン-4-オールを投与し，MTTアッセイ法で細胞増殖の様子をみて，その生存率を調べたところ，アポトーシスおよびネクローシスによる細胞死への誘導は，蛍光顕微鏡およびフローサイトメトリーにより目視で確認されたため，ティートリー精油およびテルピネン-4-オールは，これら2つのがん細胞株の増殖を，濃度依存的および経時的に顕著に阻害したと報告しています[2]．そしてこれらの阻害効果は，細胞周期のG1期に細胞周期停止を起こすことで発現していることが示唆されました[2]．これらの結果から，ティートリー精油およびその主成分であるテルピネン-4-オールは，顕著にがん細胞株の増殖を阻害する効果を示すことが確認されました．

❸ やけどにおける冷却・治癒促進効果

Janderaらは，熱湯により部分的に深いやけどを負ったブタをモデルとして，ティートリー精油を含むハイドロジェルの塗布，および水道水での処置による患部の冷却および治癒効果について次のような方法で検証を行いました．10匹のブタの背中にそれぞれ円形（直径1cm）のやけど患部を4ヵ所作り，そのうち1ヵ所を無処置の対照とし，残りの3ヵ所は，負傷後すぐに水道水（15℃）で冷却する，負傷後すぐにハイドロジェル（19℃）を塗布する，負傷30分後にハイドロジェルを塗布する，のいずれかの処置が施されました．いずれの処置も開始後1時間続けられ，すべての患部において，負傷前，負傷時，そして負傷後2分ごとに1〜1.5時間，皮膚内部の温度を測定したところ，処置開始1時間後では負傷前と比較して，なんらかの処置を施した患部すべてにおいて冷却効果が確認されていて，さらに21日後に，患部の組織生検，患部面積，皮膚顆粒組織の状態，感染，体毛の成長，焼痂（かさぶた），上皮再生などにより治癒の状態を観察したところ，すべての患部で対照と比べて迅速な治癒が観察されたため，水道水およびティートリー精油を含むハイドロジェルで治癒が促進されることが示唆されました[3]．また水道水で処置した患部においてわずかにブドウ状球菌が観察されましたが，ハイドロジェルを塗布した患部は無菌状態だったと報告しています[3]．

文献

1) Garozzo A et al.：In vitro antiviral activity of *Melaleuca alternifolia* essential oil. Lett Appl Microbiol, 49：806-808, 2009.
2) Greay SJ et al.：Induction of necrosis and cell cycle arrest in murine cancer cell lines by *Melaleuca alternifolia* (tea tree) oil and terpinen-4-ol. Cancer Chemother Pharmacol, 65：877-888, 2010.
3) Jandera V et al.：Cooling the burn wound：evaluation of different modalites. Burns, 26：265-270, 2000.

ペパーミント

繁殖力が強いミント類は3,000種もの亜種が存在するとされています．そのなかでも代表的なペパーミントは，その爽やかな香りが中枢神経を刺激し，脳の機能を賦活するため，集中力の低下や眠気を防止します．ペパーミントの精油は平滑筋に直接作用し，カルシウムイオンを調整することにより鎮痙作用を発揮します．このため過敏性腸症候群などの消化器系の不調に用いられます．また皮膚・粘膜には冷却効果を与えますが，2次的には血流の増加をもたらします．このことは，筋肉痛や打撲などにペパーミント精油を外用で用いる際に好都合といえます．

- 学　名　*Mentha piperita*
- 英　名　peppermint
- 科　名　シソ科
- 主産地　アメリカ・イギリス・フランス
- 抽出部位　葉部
- 抽出方法　水蒸気蒸留法
- 主要成分　*l*-メントール 35～45％，*l*-メントン 17～20％，1,8-シネオール 5～7％，酢酸メンチル 3.5～4.0％
- 作　用　消炎・鎮痛・鎮痙・脳機能賦活
- 注　意　ケトン類による神経毒性および*l*-メントールによる気道の収縮などに注意
- 品質基準　FCC：酢酸メンチルとしてエステル類5.0％を，メントールとして50％を下まわらないこと
  AFNOR：フランス産，イタリア産ほか，各規格表あり
  ISO：AFNORと同じ
- 規　制　IFRA：規制なし
- 安全性　経口LD_{50}＊：ラット 4.44g/kg　　経皮LD_{50}＊：ラビット 報告なし
  (RIFM)　皮膚感作：可能性あり
  ＊National Institute of Occupational Safety and Health (NIOSH) の資料による

精油の有用性

❶ 腸管出血性大腸菌O-157に対する抗菌作用

　Fazlaraらは，ペパーミント，キャラウェイ，*Zataria multiflora*（シソ科ザタリア属，以下ザタリア）といったイランに自生する3種の植物から抽出した精油に関して，食品保存料としての機能を評価するために，腸管出血性大腸菌O-157に対する抗菌作用を次の方法で調べました．市販されているチキンスープを培地としてO-157を植菌し，0，0.3，0.6，1.0％濃度となるように各精油を入れ，8℃で7日間および35℃で3日間培養してO-157の生育状況を調べた結果，すべての精油で抗菌作用が確認されましたが，ペパーミント1.0％，ザタリア0.6％，1.0％は，35℃の温度環境で静菌的な効果を示し，ペパーミント0.6％，1.0％とザタリア0.6％，キャラウェイ1.0％は8℃の温度環境で殺菌効果を示し，精油の濃度や培養温度によって差異がみられたと

報告しています[1]．この結果より，ペパーミントを含む3種の精油が，O-157の生育を阻害することが明らかとなり，自然素材の食品保存料としての役割を担う可能性が示唆されています．

❷ 眠気解消の効果

Norrishらは，イギリスの大学生20人を対象として，ペパーミント精油を吸入するペパーミント群（男4人，女6人）と，比較対照のためにペパーミント精油を吸入しない無臭群（男女各5人）に無作為に分けて，ペパーミント精油の吸入が昼間の眠気解消に有効かを無作為化比較試験で検討しました．潜在的な眠気は試験直前にスタンフォード眠気尺度 Stanford Sleepiness Scale (SSS)にて検査され，2群間で差がなく，眠気を調べるために適した覚醒状態であることを確認し，ペパーミント群はペパーミント精油を含ませたアロマパッドを，無臭群はペパーミント精油を含まないアロマパッドを左の鼻孔近位置に定置し，消灯して暗くした試験室でモニターに呈示されるターゲットをしばらく見つめ，その後，赤外線ビデオ瞳孔計による瞳孔検査を11分間行い，被験者が開眼しているか，ターゲットを見つめているかモニターし，瞳孔不安定度を算出しました．このように瞳孔の不安定さを眠気の指標としたところ，ペパーミント群のほうが，無臭群に比べて瞳孔運動が安定していることが明らかとなり，ペパーミント吸入が眠気の解消に有効であることが示唆されています[2]．

❸ 過敏性腸症候群の症状緩和

過敏性腸症候群 irritable bowel syndrome (IBS) の症状改善について，ペパーミント精油の効果を二重盲検法によって無作為化比較試験で検証したKlineらの報告によると，IBSと診断された42人の小児を無作為に2群に分けた一方に，1カプセルにつき0.1mLのペパーミント油を含んでいるペパーミント精油の腸溶性カプセルを被験者の体重に応じて1または2カプセルを1日3回（ペパーミント群），もう一方にプラセボのカプセル（対照群）をそれぞれ2週間服用させ，初日終了時と最終日終了時に，胃腸障害重度チェックとともに，胸やけ，吐き気，むかつき，下痢など15項目の胃腸症状チェック尺度 gastrointestinal symptom rating scale (GSRS) を用いて評価を行ったところ，ペパーミント群では76％に改善がみられるとともに痛みの低減も確認され，IBSに対するペパーミント精油の効用が期待されています[3]．

文献

1) Fazlara A et al.：The potential application of plant essential oils as natural preservatives against Escherichia coli O157：H7. Pak J Biol Sci, 11：2054-2061, 2008.
2) Norrish MI et al.：Preliminary investigation of the effect of peppermint oil on an objective measure of daytime sleepiness. Int J Psychophysiol, 55：291-298, 2005.
3) Kline RM et al.：Enteric-coated, pH-dependent peppermint oil capsules for the treatment of irritable bowel syndrome in children. J Pediatr, 138：125-128, 2001.

ベルガモット

　北イタリアの小さな都市ベルガモに由来するベルガモットは，柑橘系の香りで，一般には紅茶のアールグレイ賦香成分として知られています．スイートオレンジやレモン，グレープフルーツなど，ほかの柑橘系精油がモノテルペンのリモネンを主体としているのに対し，ベルガモットは酢酸リナリルなどのエステル類を30〜40%含有していることが特徴です．したがって，リフレッシュとリラックスのいずれの目的にも用いられますが，暖かくなじみのある香りであるため，小児の不眠症などではラベンダーよりも奏効するケースがよく観察されます．

- 学　名　　*Citrus bergamia*
- 英　名　　bergamot
- 科　名　　ミカン科
- 主産地　　イタリア
- 抽出部位　果皮
- 抽出方法　圧搾法
- 主要成分　リモネン30〜40%，酢酸リナリル25〜30%，リナロール10〜15%，ベルガプテン0.2〜0.5%
- 作　用　　緩和，鎮静，鎮痙，血行促進
- 注　意　　フロクマリン類による光毒性
- 品質基準　FCC：酢酸リナリルとして，エステル類36%を下まわらないこと
  AFNOR：酢酸リナリル23〜35%のほか，分析値規格表あり（ほかにベルガプテンについての記載もあり）
  ISO：AFNORと同じ
- 規　制　　IFRA：光毒性のため，調合香料中ベルガプテン75ppm以下で使用すること
- RIFM
  （安全性）　経口LD_{50}：ラット＞10g/kg　　経皮LD_{50}：ラビット＞20g/kg
  皮膚刺激：マウス；資料なし　　ヒト皮膚刺激：30%（希釈なし）
  光毒性＊：あり
  ＊フロクマリン・フリー（F.C.Fとも呼ぶ）は光毒性なし

> 精油の有用性

❶ラット行動や海馬・大脳皮質の脳波スペクトルへの影響

　Rombolàらは，ベルガモット精油をラットに投与することにより，濃度依存的に自発運動量が増加し，探索行動が多くみられるようになるという行動変化が起こり，そして，このときのラット海馬や大脳皮質で記録される脳波スペクトルでは，ある単一の周波数帯域でエネルギーの増大がみられたと報告しています[1]．また，その際脳波スペクトルの単一の周波数帯域でのエネルギーは，高速フーリエ変換によって解析されています．この結果から，ベルガモット精油が行動および脳活動に影響を与えることが示唆されています．

❷ 自律神経系への影響

　心拍変動は交感神経および副交感神経の活動を反映しており，低周波帯 low frequency（LF）は主に交感神経活動を表し，高周波帯 high frequency（HF）は副交感神経活動を示唆します．そしてLF/HF比は数値が高いと交感神経優位を，低いと副交感神経優位を示します．それを用いて，Pengらは，114人の健常な大学生を，ソフトミュージックを15分間聴くグループ（音楽群），ベルガモット精油の芳香浴を15分間行うグループ（アロマセラピー群），音楽とベルガモット精油の芳香浴を両方行うグループ（音楽・アロマセラピー群），そして何もしないグループ（対照群）の4つのグループに分けて，各々心拍変動を測定することで，ソフトミュージックを聴くこととベルガモット精油の芳香浴とが，自律神経系にどのような影響を与えるのかを検討したところ，LF/HF比が対照群で高いことに比較して，音楽群，アロマセラピー群，音楽・アロマセラピー群においては顕著に低くなったと報告しています[2]．この結果より，音楽，アロマセラピー，その両方の併用により，副交感神経が優位となることが確認され，リラックスのために活用されることが検証されています．

❸ 抗真菌作用

　Sanguinettiらは，圧搾法，水蒸気蒸留法で抽出したベルガモット精油，および光毒性を避けるためのフロクマリンフリーであるベルガモット精油，これら3種のベルガモット精油における抗真菌作用の差異について，エピデルモフィトン属やトリコフィトン属といった皮膚糸状菌である数種の白癬菌を用いて検討しました．これらの白癬菌に対して，ベルガモット精油の最小発育阻止濃度 minimum inhibitory concentration（MIC）は，圧搾法による精油では0.156〜2.5％，水蒸気蒸留法による精油では0.02〜2.5％であり，フロクマリンフリーの精油では0.08〜1.25％だったと報告しています[3]．これより，ベルガモット精油は，圧搾法，水蒸気蒸留法，フロクマリンフリーである精油のいずれも，白癬菌に対して抗真菌作用を示すことが確認され，抗真菌作用を期待してベルガモット精油が活用できる可能性が示唆されています．

文 献

1) Rombolà L et al.：Effects of systemic administration of the essential oil of bergamot（BEO）on gross behaviour and EEG power spectra recorded from the rat hippocampus and cerebral cortex. Funct Neurol, 24：107-112, 2009.
2) Peng SM et al.：Effects of music and essential oil inhalation on cardiac autonomic balance in healthy individuals. J Altern Complement Med, 15：53-57, 2009.
3) Sanguinetti M et al.：In vitro activity of *Citrus bergamia*（bergamot）oil against clinical isolates of dermatophytes. J Antimicrob Chemother, 59：305-308, 2007.

ユーカリ

コアラの食料であり，住み家でもあるユーカリは100ｍの高さにも達する高木で，その葉から蒸留される精油は，清涼感に富む香りで，なみはずれた抗菌力を発揮します．この抗菌力の主体は，精油成分の60〜80%を占めるシネオール（ユーカリプトール）で，揮発性に富むため，蒸気吸入などで用いると肺の深部まで効果が及びます．また，抗カタル作用や去痰作用も有するため，かぜや花粉症のアレルギー症状を緩和する目的で用いられます．さらに，抗ウイルス作用も報告されていて，獣医領域では経皮吸収によりネコエイズの治療に使用されています．

- 学　名　　*Eucalyptus globulus*
- 英　名　　eucalyptus
- 科　名　　フトモモ科
- 主産地　　オーストラリア，スペイン
- 抽出部位　葉部
- 抽出方法　水蒸気蒸留法
- 主要成分　1,8-シネオール 60〜80%，α-ピネン 10〜20%
- 作　用　　抗菌，去痰
- 注　意　　特になし
- 品質基準　日本薬局方：1,8-シネオールとして，70%以上他規格基準あり
  　　　　　FCC：1,8-シネオールとして，70%以上を含有する
  　　　　　AFNOR：1,8-シネオールとして，58%以上を含有する
  　　　　　ISO：AFNORと同じ
- 規　制　　IFRA：規制なし
- 安全性　　【ユーカリプトールとして】経口LD_{50}：ラット 2.48g/kg
  (RIFM)　　　　　　　　　　　　　　経皮LD_{50}：ラビット ＞5g/kg
  　　　　　経口LD_{50}*：ラット 4.44g/kg　　経皮LD_{50}*：ラビット ＞5g/kg
  　　　　　皮膚刺激：マウス；なし，ラビット；穏やかな刺激あり
  　　　　　ヒト皮膚刺激：10%（希釈なし）　　ヒト皮膚感作：10%（希釈なし）
  　　　　　光毒性：なし
  　　　　　＊National Institute of Occupational Safety and Health (NIOSH) の資料

精油の有用性

❶ペルメトリン耐性ヒトアタマジラミに対する作用

　ヒトアタマジラミを駆除する目的でペルメトリンを長く用いてきたため，ヒトアタマジラミにはペルメトリンに耐性を示すものが生じてきています．Tolozaらは，数種のユーカリから抽出した精油とその主成分のペルメトリン耐性ヒトアタマジラミへの殺虫効果を，シラミ50%ノックアウト（殺虫）時間であるKT_{50}値を比較することにより検討したところ，いくつかのユーカリ精油のうち，*Eucalyptus globulus*および*Eucalyptus sideroxylon*の殺虫効果が強いことがわかったと報告しています[1]．また主成分である1,8-シネオールの濃度とKT_{50}値は相関関係があるこ

とが確認されました[1]．この結果から，ユーカリ精油および主成分1,8-シネオールが，ペルメトリン耐性ヒトアタマジラミに対する殺虫効果を有することが示唆され，シラミ駆除薬として活用できる可能性が示唆されています．

❷ 抗菌作用の相乗効果

Patroneらは，6種の精油，3種の界面活性剤，5種の合成保存料を併用し，緑膿菌および黄色ブドウ球菌に対する抗菌作用を調べることで，化粧品の品質保持のために通常用いられている合成保存料と精油や界面活性剤を併用することにより，より高い保存効果が得られるかを検討しました．その結果，調べた6種の精油すべてが抗菌作用を示し，また相乗的な抗菌作用は，緑膿菌に対して，ユーカリ精油，ペパーミント精油，メチルパラベンを併せて用いたとき，また，黄色ブドウ球菌に対して，ペパーミント精油，オレガノ精油，セージ精油とプロピルパラベンを併せて用いたときにみられたと報告しています[2]．これより，従来の合成保存料単独使用ではなく，ユーカリなどの精油を併用することにより，抗菌作用の効果が相乗的に増強され，品質保持に有用であることが示唆されています．

❸ 酸化ストレス防御

Ahlemらは，ユーカリエキスの服用により，糖尿病症状を悪化させると考えられる酸化ストレスが軽減されるかを次のような方法で検討しました．アロキサンにより糖尿病を誘起された糖尿病モデルマウスを対象として，体重あたりユーカリ乾燥葉部130mg/kgのユーカリエキスを加えた飲み水を15日間与え，酸化の度合いを示す脂質過酸化率および活性酸素除去作用をもつ酵素であるカタラーゼ活性について調べ，同様に活性酸素除去作用をもつ酵素，スーパーオキシドジスムターゼとグルタチオンペルオキシダーゼの活性を肝臓と腎臓で調べた結果，これら活性酸素除去作用をもつ酵素は活性化し，ユーカリエキスに抗酸化作用があることが示唆されました[3]．また，ユーカリエキスは顕著に糖尿病マウスの血糖値を下げましたが，インスリンにより血糖値が下がることによって起こる，肝臓のグリコーゲンレベルの回復はみられなかったと報告しています[3]．これにより，ユーカリエキスは抗酸化作用および血糖値を低下させる作用を有しますが，血糖値低下作用についてはインスリンレベルの上昇に起因することではないことが示唆されています．

文献

1) Toloza AC et al.：Eucalyptus essential oil toxicity against permethrin-resistant Pediculus humanus capitis (*Phthiraptera*：*Pediculidae*)．Parasitol Res, 106：409-414, 2010.
2) Patrone V et al.：In vitro synergistic activities of essential oils and surfactants in combination with cosmetic preservatives against *Pseudomonas aeruginosa* and *Staphylococcus aureus*. Curr Microbiol, 60：237-241, 2010.
3) Ahlem S et al.：Oral administration of *Eucalyptus globulus* extract reduces the alloxan-induced oxidative stress in rats. Chem Biol Interact, 181：71-76, 2009.

🌱 ラベンダー 🌱

ラテン語のラワーレ（洗う）を語源とするラベンダーは，怒りや不安，執着など"心の汚れ"を洗い流す香りとして知られ，その清楚な香りと適応領域の広さから，アロマセラピーでもっとも繁用される精油といえます．主要成分のリナロールなどのモノテルペンアルコールは抗菌力を有します．同じく主要成分である酢酸リナリルなどのエステル類は精油成分中に30〜50％含まれますが，鎮静を目的とする場合はエステル含量が多いものを用います．皮膚への侵襲性が低く，細胞の新生を促すため，皮膚科領域や美容分野でも用いられます．

- 学　名　　*Lavandula angustifolia*
- 英　名　　lavender
- 科　名　　シソ科
- 主産地　　フランス
- 抽出部位　花部，葉部
- 抽出方法　水蒸気蒸留法
- 主要成分　酢酸リナリル 30〜50％，リナロール 25〜35％
- 作　用　　鎮静，鎮痙，消炎，抗菌
- 注　意　　特になし
- 品質基準　FCC：エステル含量（酢酸リナリル）として，少なくとも35.0％を含むこと
  AFNOR：エステル含量（酢酸リナリル）として，少なくとも38〜58％を含むこと
  ISO：AFNORと同じ
- 規　制　　IFRA：規制なし
- RIFM（安全性）経口LD_{50}：ラット＞5g/kg　　経皮LD_{50}：ラビット＞5g/kg
  皮膚刺激：マウス；なし，ラビット；わずかに刺激あり
  ヒト皮膚刺激：16％（希釈なし）　　ヒト皮膚感作：16％（希釈なし）
  光毒性：なし

精油の有用性

❶ 心臓の冠血流予備能改善効果

　Shiinaらは，ラベンダー精油吸入によって，心臓の冠循環にどのような影響があるか健常な男性30人（平均年齢34±4.7歳）を対象に，非侵襲の経胸壁ドプラー心エコー図法 transthoracic doppler echocardiography（TTDE）を用いて，冠動脈血流速予備能 coronary flow velocity reserve（CFVR）の計測により検討しました．30分横になって安静にし，心臓の冠動脈左前下行枝の冠血流速度を測定してCFVRを計測後，ラベンダー精油4滴（約200μL）を20mLの温水に滴下して30分吸入し，再び同様の方法でCFVRを計測し，同時に血清コルチゾール濃度を測定してストレスの指標としました．その結果，ラベンダー吸入前後でCFVRは3.8±0.87から4.7±0.90へと有意に上昇し，血清コルチゾールは8.4±3.6から6.3±3.3へと有意に低下したと報告しています[1]．同じ被検者で行った対照実験では変化がなく，ラベンダー吸入により冠血流予備能

が改善することが確認され，ストレスの軽減とともに，心臓の冠循環によい影響をもたらすことが示唆されています．

❷イヌにおける興奮抑制効果

Wellsは，ラベンダー精油の吸入によって車で移動時のイヌの興奮を抑制することが可能か，これまでに飼い主の車で移動時に興奮した経験のある健常なイヌ32匹を対象に検討しています．各イヌが，日常的に慣れている散歩場所に向かって家から移動する20〜30分間の車内を，特別な匂いを嗅がない通常の環境（対照）として移動することを3回（1日1回で3日連続），ディフューザーによりラベンダー精油による匂いを嗅ぐ環境として移動することを同じく3回行い，各環境で移動中のイヌを録画し，「動く」，「立つ」，「座る」，「休む」，「声を出す」といった各行動を起こした時間を解析，全体の移動時間に対する割合を検討したところ，ラベンダー吸入により，「休む」および「座る」時間が顕著に増加し，「動く」および「声を出す」時間が減少したと報告しています[2]．この結果より，ラベンダー精油吸入によって興奮が抑制されることが示唆されています．

❸抗不安作用：マウスの葛藤行動への影響

精油吸入がマウス葛藤行動に及ぼす影響については，これまでにローズ精油が抗不安薬と同様に作用することが確認されています．Umezuは，さらにいくつかの精油をオリーブ油で希釈してマウス腹膜内に注入，ゲラー型葛藤行動テストを評価方法として用いることにより，精油が葛藤行動に関して抗不安薬同様に作用するかを検討していて，ジュニパー，サイプレス，ゼラニウム，ジャスミンの精油は影響がありませんでしたが，ラベンダー精油は濃度依存的にベンゾジアゼピン系抗不安薬であるジアゼパムと同様の作用を示したと報告しています[3]．この結果から，ローズだけではなく，ラベンダー精油も抗不安薬と同様の作用をもつことが示唆されています．

文献

1) Shiina Y et al.：Relaxation effects of lavender aromatherapy improve coronary flow velocity reserve in healthy men evaluated by transthoracic Doppler echocardiography. Int J Cardiol, 129：193-197, 2008.
2) Wells DL：Aromatherapy for travel-induced excitement in dogs. J Am Vet Med Assoc, 229：964-967, 2006.
3) Umezu T：Behavioral effects of plant-derived essential oils in the geller type conflict test in mice. Jpn J Pharmacol, 83：150-153, 2000.

🌱 ローズマリー 🌱

ローズマリーは強力な抗酸化作用を有するため，古くから"若返りのハーブ"として知られています．主要成分として，森林浴の成分であるモノテルペンのピネンやシネオール，カンファーなどの刺激成分を含みます．循環器系への作用として血行を促進し，中枢神経系に対しては脳の記憶領域に作用して，記憶力や集中力の増強をもたらすため，ブレイントニック（脳の活力剤）と呼ばれます．一般にアロマセラピーで用いられる精油は鎮静系が多いですが，ローズマリーはペパーミントとならんで気分をリフレッシュし，活力を回復する精油として有用です．

- 学　名　*Rosmarinus officinalis*
- 英　名　rosemary
- 科　名　シソ科
- 主産地　フランス，モロッコ，チュニジア，スペイン
- 抽出部位　葉部
- 抽出方法　水蒸気蒸留法
- 主要成分　α-ピネン 20～30%，1,8-シネオール 15～25%，カンファー 10～20%
- 作　用　血行促進，脳機能賦活
- 注　意　ロットごとの構成成分の差に注意する
- 品質基準　FCC：酢酸ボルニルとして，エステル類1.5%を下まわらないこと
　　　　　　　　　　ボルネオールとして，8.0%を下まわらないこと
　　　　　AFNOR：GCでの各成分規格表あり（モロッコ，チュニジア産およびスペイン産）
　　　　　ISO：AFNORと同じ
- 規　制　IFRA：規制なし
- 安全性　経口LD_{50}：ラット 5g/kg　　経皮LD_{50}：ラビット ＞10mg/kg
  (RIFM)　皮膚刺激：ラビット；穏やかな刺激あり
　　　　　ヒト皮膚刺激：10%（希釈なし）　　ヒト皮膚感作：10%（希釈なし）
　　　　　光毒性：テストなし

精油の有用性

❶酸化ストレス防御

　Atsumiらは，ローズマリーとラベンダー精油の香りを嗅ぐことにより，抗酸化作用が得られるかを次の方法で検討しています．22人の健常な被験者（男性15人，女性7人，平均年齢22.7歳）を対象に，各精油において，①無臭の有機溶媒のみを嗅ぐこと，②1,000倍希釈の精油を嗅ぐこと，③10倍希釈の精油を嗅ぐことを，この順序で5分間行い，各々の施行直後に唾液を採取して試料とし，各精油について香りの官能評価とともに，唾液試料を用いて，1,1-ジフェニル-2-ピクリルヒドラジル（DPPH）濃度をフリーラジカル除去能の指標としたFRSA値や，ストレスホルモンであるコルチゾール値などを測定しました．その結果，FRSA値は，高濃度のローズマリーおよび低濃度のラベンダーによって亢進し，コルチゾール値はどちらの精油でも濃度依存的に低

下したと報告しています[1]．さらにローズマリーでは，FRSA値とコルチゾール値において顕著な逆相関性が確認されています[1]．これより，ラベンダーおよびローズマリーの香りを嗅ぐことで，抗酸化作用を表すFRSA値の亢進，コルチゾール値の低下が確認され，これらは酸化ストレスから身体を護るために誘起されることが示唆されています．

❷ 高脂肪食による体重増加と肝臓への脂肪蓄積抑制効果

Harachらは，高脂肪食を与え続けられているマウス（以下，高脂肪食マウス）の体重増加や代謝障害に対して，ローズマリーの葉部から抽出したローズマリーエキスが改善効果を有するかを次の方法で検討しています．高脂肪食マウスに，体重あたり20mg/kgまたは200mg/kgのローズマリーエキスを50日間投与し（ローズマリー群），投与しない高脂肪食マウス（対照群）と比較し，体重は試験期間を通して測定され，試験前後に体脂肪などの体組成を調べ，また試験後には，腹腔内投与でのグルコース負荷試験と，肝臓および糞便の脂肪含有量について調べました．その結果，200mg/kg投与のローズマリー群では，体重の増加および体脂肪量の増加が顕著に抑制され，この結果はローズマリーによる膵臓でのリパーゼ活性抑制に起因することが示唆されました[2]．グルコース代謝ではローズマリーによる効果はみられませんでしたが，肝臓のトリグリセリド（中性脂肪）は，ローズマリー群で顕著に減少したと報告しています[2]．これらの結果より，ローズマリーエキスにより，高脂肪食による体重の増加および肝臓への脂肪の蓄積が抑制され，肥満や脂肪肝といった生活習慣によるメタボリックシンドロームの発症予防に，効果を示す可能性が示唆されています．

❸ 抗うつ作用

ローズマリーの枝・葉部よりアルコール抽出したローズマリーエキスをマウスに経口投与し，強制水泳試験（FST）および尾懸垂試験（TST）により，抗うつ作用の有無を調べたMachadoらの報告によると，FSTでは，ローズマリーエキス100mg/kg投与，TSTでは10〜100g/kg投与により，不動時間が顕著に少なくなり，ローズマリーエキスに抗うつ作用があることが示唆されました[3]．また，セロトニン合成阻害薬であるp-クロロフェニルアラニン，5-HT_{1A}受容体拮抗薬であるNAN-190，5-HT_{2A}受容体拮抗薬であるケタンセリン，5-HT_3受容体作動薬であるmCPBG，$α_1$アドレナリン受容体拮抗薬であるプラゾシン，ドパミンD_1受容体拮抗薬であるSCH23390，ドパミンD_2受容体拮抗薬であるスルピリドでの処理で，TST不動時間が減少したことから，ローズマリーの抗うつ作用発現には，モノアミン系との相互作用が介在していることが示唆されています[3]．

文献

1) Atsumi T et al.：Smelling lavender and rosemary increases free radical scavenging activity and decreases cortisol level in saliva. Psychiatry Res, 150：89-96, 2007.
2) Harach T et al.：Rosemary (*Rosmarinus officinalis* L.) leaf extract limits weight gain and liver steatosis in mice fed a high-fat diet. Planta Med, 76：566-571, 2010.
3) Machado DG et al.：Antidepressant-like effect of the extract of *Rosmarinus officinalis* in mice：involvement of the monoaminergic system. Prog Neuropsychopharmacol Biol Psychiatry, 33：642-650, 2009.

ローマンカモミール

"大地のリンゴ"を語源とするカモミールは，その名のとおり野生のリンゴの花の香りを漂わせ，リラックスをもたらすハーブとして世界中で愛用されています．カモミールは踏みつけられてもすぐに立ち直ることから，逆境におけるエネルギーにたとえられ，母の強さの象徴ともされています．主要成分のアンジェリカ酸エステルなどのエステル類で鎮静・鎮痙作用を発揮し，ストレスによる体のこわばりや痛みに心身相関的に作用します．なお，近縁種のジャーマンカモミールの精油は，消炎成分のアズレンやカマズレンを含有し，主に外用で用いられます．

- 学　名　　*Anthemis nobilis*
- 英　名　　roman chamomile
- 科　名　　キク科
- 主産地　　ドイツ，フランス，モロッコ
- 抽出部位　花部
- 抽出方法　水蒸気蒸留法
- 主要成分　アンゲリカ酸イソブチル 30～40％，アンゲリカ酸イソアミル 5～25％，アンゲリカ酸メチル 6～10％
- 作　用　　鎮静，鎮痙，緩和
- 注　意　　特になし
- 品質基準　FCC：エステル価 250～310の範囲内であること
　　　　　　AFNOR：エステル価 250～340の範囲内であること
　　　　　　ISO：AFNORと同じ
- 規　制　　IFRA：規制なし
- 安全性　　経口LD_{50}：ラット 5g/kg　　経皮LD_{50}：ラビット ＞5g/kg
  （RIFM）　皮膚刺激：マウス；なし，ラビット；穏やかな皮膚刺激あり
　　　　　　ヒト皮膚刺激：4％（希釈なし）　ヒト皮膚感作：4％（希釈なし）
　　　　　　光毒性：なし

精油の有用性

❶ 緩和ケアでの効果

　Wilkinsonらは，がん患者さんの緩和ケアにおけるQOLを，アロマセラピーマッサージにより向上させることが可能か，次の方法で検討しています．対象とした103人のがん患者さんは，無作為に2群に分けられ，キャリアオイルのみでのマッサージ（対照群），もしくはローマンカモミール精油をキャリアオイルに加えたマッサージオイルでのマッサージ（カモミール群）を受けました．その評価は，効果，がん患者さんの身体症状と精神的ストレスをみるRotterdam Symptom Checklist（RSCL），状態・特性不安検査 state-trait anxiety inventory（STAI），およびいくつかの質問によって行われ，対照群，カモミール群ともにSTAIによる不安度を軽減し，RSCLのスコアも向上させ，また，シビアな身体症状や精神的ストレスについては，カモミール

群で明らかに改善されたことも報告しています[1]．これらより，マッサージのみでも不安度は軽減されますが，ローマンカモミールの精油を加えたアロマセラピーマッサージをすることにより，身体症状や精神的ストレスが改善され，総合的なQOLの向上に有用であることが示唆されています．

❷ ホスピスにおける吐き気の緩和

Gilliganは，ホスピスでの入院患者さんのうち，吐き気を訴える25人を対象にアロマセラピーを行い，吐き気を緩和するかを検討しました．精油は，制吐作用や鎮静作用が報告されているローマンカモミール，アニス，フェンネル，ペパーミントを選び，それらのブレンドを用いて，患者さんが4種の各精油の香りと，ブレンドしたときの香りを試したところ，ブレンドすることによって精油の香りを受け入れやすくなり，好んで活用できるようになったと報告しています[2]．アロマセラピーは，腹部の温湿布，エアーフレッシュナー，腹部マッサージ，ディフューザーによる芳香浴の4つの方法で行われ，腹部の温湿布では25人のうち10人が30分以内に症状の緩和を認め，またもっとも好まれた方法はエアーフレッシュナーでしたが，腹部マッサージは好まない患者さんが多かったと報告しています[2]．アロマセラピーを実施した結果，25人のうち17人が吐き気の症状が緩和したことを認め，症状の重篤度を示す値が1～3低減したと報告しています[2]．これらの結果より，ローマンカモミール，アニス，フェンネル，ペパーミントのブレンド精油によるアロマセラピーは，ホスピスにおける患者さんの吐き気を緩和する効果を有することが示唆されました．

❸ 分娩後の会陰ケアにおける有用性

Hurらは，分娩時に会陰切開をした場合の会陰部ケアに，アロマセラピーが有用であるかについて，ローマンカモミール，ラベンダー，ミルラ，ネロリ，ローズ，グレープフルーツ，マンダリン，オレンジの精油を用いた座浴または石けんを用いることにより検討しました．会陰切開を行った分娩直後の褥婦さんを，座浴をする群（座浴群），精油を含有する石けんを用いる群（石けん群），および対照群の3つに分け，各々ケアを行い，効果の評価は，会陰部の創傷治癒の状態把握に用いられるREEDAスコアにより行ったところ，精油を用いた座浴群および石けん群において，分娩5日後および7日後にREEDAスコアが顕著に低くなり，効果が認められたと報告しています[3]．この結果より，会陰切開後の会陰部ケアに，アロマセラピーが有用であることが示唆されています．

文献

1) Wilkinson S et al.：An evaluation of aromatherapy massage in palliative care. Palliat Med, 13：409-417, 1999.
2) Gilligan NP：The palliation of nausea in hospice and palliative care patients with essential oils of *Pimpinella anisum*（aniseed），*Foeniculum vulgare*（sweet fennel），*Anthemis nobilis*（Roman chamomile），*Mentha piperita*（peppermint）. The International Journal of Aromatherapy, 15：163-167, 2005.
3) Hur MH et al.：Clinical trial of aromatherapy on postpartum mother's perineal healing. Taehan Kanho Hakhoe Chi, 34：53-62, 2004.

3章

メディカルハーブ

A メディカルハーブの基礎知識

1 メディカルハーブの収穫と保存

1 メディカルハーブの収穫

　メディカルハーブの含有成分は，時間帯や季節によって変動しています．したがって，収穫は1年のうち最適の時期に湿度の低い日を選んで行います．収穫の時期は使用する部位によっておおむね決まっていますが，決定的なものではなく，状況に応じて判断します．また，セントジョンズワートを例にとると，使用部位は「開花時の地上部」とされています．このように，ハーブの種類ごとにそれぞれ定められている場合は，それに従います．

　使用部位ごとの収穫時期の目安を表1にまとめます．

2 メディカルハーブの乾燥と保存

❶ 乾　燥

　メディカルハーブを収穫後に乾燥させる目的は，水分を飛ばすことで保存性を高め，また重量あたりの植物化学成分の量を高めるためです．また，乾燥させることによって成分が変化し，作用が強まったり，刺激成分が無毒化，低毒化するケースなどもあります．

　乾燥は，通常風通しのよい場所で日干しで行いますが，精油成分やカロテノイドなどの色素成分を含むものは，紫外線によって劣化するので陰干しにします．乾燥は7日間ほどで完了するので，そのあと学名や収穫場所，収穫日時などの必要事項を記入したラベルを貼って保存します．

　自然乾燥ではなく温熱乾燥する場合は，花や葉は25〜40℃，根や皮などは40〜60℃で行います．ちなみに日本薬局方の生薬総則では，生薬の乾燥は通例60℃以下で行うことを定めています．

表1　使用部位別の収穫時期の目安

使用部位	収穫時期の目安
花部	開花時に朝露が蒸発したあとに収穫します．花部は痛みやすいので丁寧に扱います．花弁や頭状花を茎から切り取り，トレイなどに並べて乾燥させます．
葉部，および地上部	落葉するハーブの葉は開花直前か若葉の頃に，常緑のハーブは年間を通して収穫できます．葉が大きいものは1枚ずつ摘み取り，小さいものは茎につけたまま収穫します．
根部	秋に地上部が枯れたあとに地面があまり固くならないうちに収穫します．切断する場合は，固くなると難しいので生の柔らかいうちに行うとよいでしょう．

A. メディカルハーブの基礎知識

表2 保存に関する安定性のパラメータ

光	光（紫外線）は成分の劣化を招きます．特に，精油成分や色素成分を含むハーブは注意が必要であり，可能であれば褐色のガラス容器に保存するのがよいでしょう．
温度	加温によって反応速度が増加し，ハーブ成分の劣化が早まります．このため，メディカルハーブの保存は15℃以下で行うのが望ましいでしょう．
湿度	湿気が高まると配糖体加水分解酵素などの活性が高まるため，成分の分解が早まります．また，湿気により糸状菌などの微生物による汚染が広まります．
粉砕度	ハーブを粉砕すると表面積が飛躍的に増大し，酸化反応を受けやすくなります．したがって，メディカルハーブは全形のまま保存し，必要時に細かくカットして用います．
保存容器の材質	ポリ容器などは精油成分を吸収するので使用不可です．日本薬局方の生薬総則では，生薬のうち揮発性成分を含む粉末生薬，および特に虫害を受けやすい生薬などは気密容器に保存することが規定されています．それ以外の生薬は密閉容器に保存します．

❷ 保　存

メディカルハーブの保存における安定性のパラメータは，光，温度，湿度，粉砕度，保存容器の材質の5つです（表2）．ハーブの種類や保存状態にもよりますが，一般に保存状態がよければメディカルハーブは12～18ヵ月間保存できます．

2 メディカルハーブの作用機序

多様な植物化学成分は，生体に対しさまざまな作用機序で多段階に作用し，生理作用，心理作用，薬理作用，抗菌作用，抗酸化作用などをもたらします．作用経路としては，主に次のようなものがあります．

1 ● 嗅覚・味覚経路

ハーブに含まれる芳香成分は嗅覚に働きかけ，生理・心理作用や薬理作用をもたらします．また，アルカロイドの苦味や植物酸の酸味などの呈味成分は，味覚に働きかけて解毒や消化を促すなどの機能を発揮します．これは苦味が毒物の，酸味が腐敗物のシグナルであることから，ヒトが獲得した生体防御機能であり，食品機能性の2次機能（感覚機能）と3次機能（生体調節機能）の交わりの部分といえます．なお，嗅覚と味覚はそれを感知するメカニズムは異なりますが，「甘い匂い」という表現が示すように，応答に連携がみられます．

2 ● 経口（消化管）経路

アロマセラピーでは一般に精油の内服は行いませんが，メディカルハーブでは茶剤（ハーブティー），チンキ剤，カプセル剤などの剤形として内服することがメインとなります．内服されたアルカロイド，フラボノイドなどの植物化学成分は，食品と同じように腸管から吸収され，門脈を経て肝臓での初回通過効果を受けて全身循環に入ります．カフェインなどのアルカロイドは血液-脳関門を通過して，大脳新皮質を中心に中枢神経系に作用を及ぼします．

3 経皮経路

ハーブの浸剤を湿布したり入浴で用いた場合，浸剤中に溶出したテルペン化合物は容易に経皮吸収されます．また，カフェインなどのアルカロイドやアピゲニンなどのフラボノイドも皮膚の表面に浸透するだけでなく，やがて皮膚の深部にも経皮吸収されます．健康な皮膚ではバリア機能が強いのですが，病的皮膚で表皮が欠損している場合の皮膚面は親水性になり，水溶性成分の吸収が高まります．また，浸出油中の脂溶性成分は経皮吸収されます．

ここで，胃潰瘍にジャーマンカモミールの茶剤（ハーブティー）を内服した場合の作用機序を考察しましょう．まず，カップから立ち上がる快い香りによって心身のリラックス効果が得られます．次に，茶剤に含まれるさまざまな植物化学成分の内服効果ですが，消化器系疾患に茶剤を適用した場合の利点は，内服した成分が消化管に直接的に作用を及ぼす点にあります（もちろん腸管での吸収後，全身循環を経ての作用も得られます）．具体的には，ジャーマンカモミールの成分であるセスキテルペンラクトンのマトリシンは，抗ヒスタミン効果により消炎作用をもたらします．また，フラボノイドのアピゲニンは，同じく抗ヒスタミン効果による消炎作用とベンゾジアゼピン受容体のリガンドとして鎮静・鎮痙作用をもたらします．さらに，こうした成分やほかの植物化学成分の抗菌・抗酸化作用や，ペクチン様の粘液質による潰瘍面の保護作用など，多様な成分が多様な作用機序で働きかけ相乗効果をもたらしています．

3 メディカルハーブの活用法

メディカルハーブの活用法は次にあげるように多岐にわたります．目的に応じて活用法を選択することが大切です．

1 茶剤（ハーブティー）

ハーブの有効成分を熱湯で抽出し内服する方法で，おおむね1杯分としておよそ3gの乾燥ハーブを熱湯200mLでフタをして3～5分間抽出します．抽出後は冷めないうちに少しずつ口に含み，香りを楽しみながら服用します．服用法の基本は1日3回毎食後とし，一度に大量に飲むのではなく，少しずつ時間をあけて服用します（表3）．冷浸出の茶剤は熱湯ではなく常温の水を使って長時間かけて抽出する方法で，高温で溶出するカフェインやタンニンなどの溶出を抑えることができます．なお，ハーブは切断したほうが抽出効率はよくなりますが，酸化を受けて劣化するので全形のまま保管し，抽出直前に切断するほうがよいでしょう．また，抽出後は速やかに成分が変化を受けるので，用時調製を基本とし，保存は冷時24時間を限度とします．

● 2 ● チンキ剤

ハーブの有効成分をアルコールで抽出し，内用および外用で用いる方法で，水溶性と脂溶性のいずれの成分も溶出させることや保存性に優れるなどの利点があります．また湿布剤やローション剤，クリーム剤など，ほかの剤形にも2次利用されます．チンキ剤は少量の水やぬるま湯に希釈して服用され，外用では2～10倍量の水で希釈して用いられる場合もあります．チンキ剤を調製する際のハーブとアルコールの割合（比率）は，一般にハーブの5～10倍量のアルコールを用います（表4）．また，アルコールの度数はハーブの種類や溶出させる成分によって異なります（表5）．なお，チンキ剤は保存時にアルコールが揮発して濃厚化する危険があるため，必ず気密容器に入れて保存します．

表3　茶剤の調製と用法・用量

種類	使用部位	用法・用量
ジャーマンカモミール	花部	1杯分2～4g　1日3回
ペパーミント	葉部	1杯分2～3g　1日3回
ダンディライオン	根部	1杯分3～5g　1日3回
エルダーフラワー	花部	1杯分3～5g　1日3回
ネトル	葉部	1杯分3～6g　1日3回

（Breadley PR eds.：British Herbal Compendium：Volume 1：A Handbook of Scientific Information on Widely Used Plant Drugs, British Herbal Medicine Association, 1992）

表4　チンキ剤の調製と用法・用量

種類	割合	アルコール濃度（%）	用法・用量
ジャーマンカモミール	1：5	45	1回3～10mL　1日3回
ペパーミント	1：5	45	1回2～3mL　1日3回
ダンディライオン	1：5	25	1回5～10mL　1日3回
エルダーフラワー	1：5	25	1回10～25mL　1日3回
ネトル	1：5	25	1回2～6mL　1日3回
パッションフラワー	1：8	25	1回2～4mL　1日4回まで

（Breadley PR eds.：British Herbal Compendium：Volume 1：A Handbook of Scientific Information on Widely Used Plant Drugs, British Herbal Medicine Association, 1992）

表5　チンキ剤の調製に用いるアルコールの度数

アルコール度数（%）	溶出に適した成分
25	粘液質・タンニン・配糖体・フラボノイド
40～60	精油・アルカロイド・サポニン
90	樹脂（レジン・オレオレジンなど）

3 入 浴

　ハーブおよそ20gを0.5～1Lの熱湯で10分間以上抽出し，こしたあとにバスタブの湯に加えて入浴剤とする方法です．ハーブを布袋につめてバスタブに浮かべ，揉み出して使う方法もあります．精油を用いる方法に比べて芳香効果は劣るものの，皮膚への刺激が少ないため皮膚疾患などにも積極的に用いられます．ハーブの効果を十分に得るには，精油と同じく15分程度入浴する必要があります．ほかにチンキ剤や浸出油を用いる方法もあり，湯の温度調節や部分浴（手浴・足浴・半身浴）など，バルネオセラピー（鉱泉療法）のテクニックと合わせて行うと効果的です．

4 湿 布

　ハーブおよそ10gを0.5～1Lの熱湯で10分間以上抽出し，こしたものを湿布液とし，タオルやガーゼをそこに浸して患部にあてる方法です．湿布液を温時使う場合を温湿布，冷時使うものを冷湿布といいます．精油を用いる方法に比べて芳香効果は劣るものの，皮膚への刺激が少ないため皮膚疾患などにも用いられます．精油の項でも述べましたが，一般に，冷湿布は急性の炎症や痛みなどに用い，温湿布は慢性の血行不良や心身の緊張を緩和するときなどに用います．温湿布を用いる場合は，湿布をしたあとに，さらに1枚の乾いたタオルを巻いて熱を保つようにするとよいでしょう．

5 その他（クリーム・パック・ローションなど）

　ハーブの抽出液やチンキ剤を用いて，クリームやパック，ローションを製剤化して用いる方法があります．洗面器やボウルに入れたハーブに熱湯を注ぎ，蒸気とともに立ち上る香りを吸入する蒸気吸入では，精油を用いる方法に比べて皮膚に対する刺激や咳こむ危険が少ないので，安心して用いることができます．また，蒸気吸入後に残った抽出液は，湿布や入浴に2次利用できます．

B メディカルハーブの作用

1 メディカルハーブの多様な作用

1 ● 植物化学成分の主な作用

❶抗酸化作用

　植物は光合成を行ううえで，活性酸素を発生させる紫外線をあびることは避けられません．そのため，植物は生体防御機能の一環として抗酸化作用を有する植物化学成分を生合成しています．ヒトは植物化学成分を摂取することで，体内で活性酸素分解酵素やグルタチオンペルオキシダーゼなどの酵素とともに，酸化ストレスを回避することが可能になります．老化制御，いわゆるアンチエイジングにメディカルハーブが期待されるのはこのためです．

❷抗糖化作用

　生体内でタンパク質と糖が非酵素的に反応して生じる最終糖化産物 advanced glycation endoproducts（AGE）は，糖尿病などの生活習慣病や炎症などの悪化要因です．これに対し植物化学成分は糖化反応 glycation を阻害し，AGEの生成を抑制します．酸化反応と糖化反応は，生体内で複雑に絡み合って老化が進行するため，抗酸化作用や抗糖化作用のある成分を単一成分としてではなく，茶剤（ハーブティー）やチンキ剤などの剤形で粗抽出物として摂取することが効果的です．

❸生理作用

　多様な植物化学成分が消化器系や循環器系などに緩和に働きかけ，機能を調整するのにすぐれています．たとえば，芳香成分や呈味成分は嗅覚や味覚などの感覚系に作用して，滞っていた機能を賦活させます．精油やフラボノイドにみられるように，1つの成分が心身相関的に作用することにも特徴があります．その一方で，肝臓や腎臓など代謝系に負担が少ないので，幼児や高齢者などにも安心して用いることができるのも特徴の1つです．

❹心理作用

　精油の芳香分子は嗅覚受容体を介して速やかに大脳辺縁系に伝えられ，快・不快といった情動に変化をもたらす一方，アルカロイドなどは内用後，血液-脳関門を通過して作用を発現するため，比較的時間を要します．コーヒーや茶，マテ，ガラナ，ビンロウジなどの向精神性ハーブは，嗜好品や嗜好飲料として世界中で日常的に利用されています．一般的に，交感神経刺激よりも副交感神経刺激の植物化学成分が多いのは，人類が森で暮らしていたからとされています．

❺ 薬理作用

メディカルハーブは医薬品の起源です．1例をあげれば，ホワイトウイロウに含まれるサリシンやアルファルファに含まれるジクマロールは，それぞれアスピリンやワルファリンの先導化合物lead compoundです．メディカルハーブそのものは，法律上医薬品ではなく食品として流通していますが，植物化学成分には薬理作用をもつものが多くあります（表6）．メディカルハーブに含まれる活性成分の量は少ないですが，多様な成分の相乗効果によって作用が発現していて，その意味でも安全性が高いといわれています．

❻ 抗菌・抗ウイルス作用

精油に加えてタンニンや植物酸も抗菌作用を有します．いずれも抗菌力の強さは抗菌薬に比べて劣りますが，フローラにダメージを与えず耐性菌を生みにくいといわれています．フラボノイド配糖体などは，資化菌に糖を供給して腸内環境の改善に役立つため，プレバイオティクスでもあります．植物化学成分の抗菌・抗ウイルス作用は，植物自身の感染に対する生体防御機能の現れといえます．

表6 植物化学成分の薬理作用と作用機序

作用部位	植物化学成分	作用機序の報告例
受容体に作用する例	フラボノイド（タイム）	アセチルコリン受容体とヒスタミン受容体の阻害，またはカルシウムチャネルの阻害により，気管および回腸の平滑筋を弛緩させました．
	ジンジャーエキス	5-ヒドロキシトリプタミン3（5-HT$_3$）受容体拮抗作用により制吐作用をもたらしました．
	6-ショウガオール（ジンジャー）	ラット肥満細胞のヒスタミン遊離を強力に抑制しました．
	アピゲニン（ジャーマンカモミール）	ベンゾジアゼピン受容体に作用し，抗不安作用をもたらしました．
イオンチャネルに作用する例	ペパーミント精油	筋細胞へのカルシウムの流入を阻害することで平滑筋の収縮を抑制しました．
	メントール（ペパーミント精油）	低温感受性（8～28℃）のイオンチャネルTRPM8を活性化し，清涼感を与えました．
	ハルマラアルカロイド（パッションフラワー）	モノアミン酸化酵素を阻害し，またカルシウムチャネルを遮断しました．
	パルテノリド（フィーバーフュー）	片頭痛の原因となるセロトニンの放出を抑制し，またプロスタグランジンの生成を阻害しました．
酵素に作用する例	OPC（ホーソン）	アンギオテンシン変換酵素（ACE）を抑制しました．
	多糖類（エキナセア）	ヒアルロン酸と複合体を形成し，ヒアルロニダーゼを抑制するとともに，繊維芽細胞の増殖を促進しました．
	ルテオリン（アーティチョーク）	HMG-CoA還元酵素を阻害し，コレステロール合成を抑制しました．
	ソウパルメット抽出物	テストステロンからジヒドロテストステロン（DHT）への反応を促進する5α-リダクターゼ（5-RED）を阻害し，またDHTのレセプターへの結合も阻害しました．
その他のメカニズムで作用する例	ヒペリシン（セントジョンズワート）	セロトニンの再取り込みを阻害しました．
	シリビニン（ミルクシスル）	肝切除したラットの肝臓に再生作用を及ぼし，DNA合成を23～25％増加させました．シリビニンはDNAポリメラーゼを刺激し，リポゾームRNAの合成を増加させ，肝細胞の再生を促進しました．

（Pizzorno Jr JE et al., 帯津良一監訳：自然療法Ⅱ―天然素材の薬効薬理，産調出版，2004を参考に作成）

2 • フラボノイドの多様な作用

植物化学成分の代表であるフラボノイドは, 多様な機能を有することから注目を集めています. 具体的なフラボノイドの作用は抗酸化作用と酵素や受容体などのタンパク質への作用に大別できますが, 実際には両方の働きを備えています.

❶ 抗酸化作用と抗酸化ネットワーク

フラボノイドのなかでもクェルセチンのように, B環がオルトジオール（カテコール）構造をとるものが抗酸化能が強いといえます. これはフェノール性水酸基がフリーラジカルを消去するとともに, となり合う2つの水酸基が金属イオンをキレート化するためです.

多様な植物化学成分は細胞を酸化傷害から効果的に守るため, それぞれの機能に応じた場所に配置されています. 細胞外側の水相にはビタミンC, 細胞膜との界面にはフラボノイド, そして細胞膜の脂質相にはビタミンE, さらに内側にはカロテノイドが配置されます.

ここで脂質ラジカルの攻撃を受けた場合, 細胞膜の脂質相にあるビタミンEが還元的にフリーラジカルを消去し, 自らはビタミンEラジカルになります. すると, 水相のビタミンCがビタミンEラジカルから電子を受け取り, ビタミンEは再生します. ビタミンCはビタミンCラジカルになりますが, その電子をフラボノイドやグルタチオンなどのチオール類に渡して再生します. フラボノイドは電子をNADHに渡して安定化します. このように抗酸化成分はネットワークを組んでラジカルの攻撃に対処していて, この関係を抗酸化ネットワークといいます. 植物化学成分を単独ではなく「丸ごと」摂る意味がここにあります.

❷ 酵素や受容体などのタンパク質に対する作用

フラボノイドは生体のさまざまな酵素や受容体に働きかけて機能の調整を行っています. 図1に, いくつかの具体例と効用をあげます. グループは3つに分けられていますが, 実際には相互

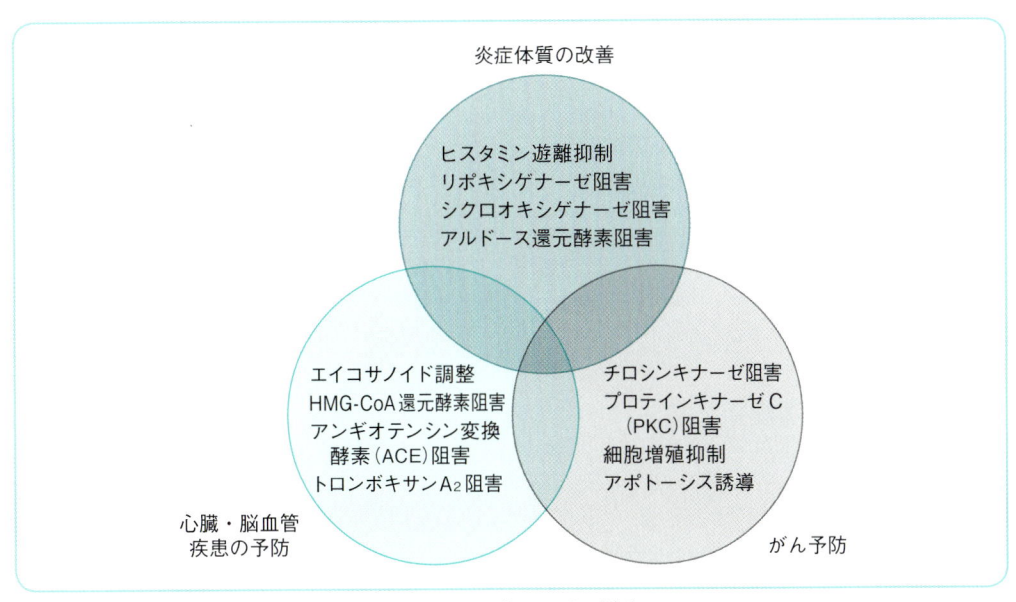

図1 フラボノイドの働き

に重なり合っています．また，この他にカルシウムチャネル阻害やGABA受容体への作用などで鎮静・鎮痙作用や抗不安作用など，心理面にも作用が及ぶことは注目にあたいし，心身症や生活習慣病の予防を図るうえで重要です．

2 植物化学成分の分類と作用

1 植物化学成分の生合成

植物は光合成により糖質，タンパク質（アミノ酸），脂質，核酸などの，生命維持に必須の1次代謝産物とそれ以外の2次代謝産物を生合成します．植物療法で用いられる植物化学成分は，そのほとんどが2次代謝産物であり，図2のようにメバロン酸経路，酢酸-マロン酸経路，シキミ酸経路など，さまざまな経路を経て生合成されます．

2 植物化学成分の分類と作用

植物化学成分は，分子構造や物理・化学的性質によりいくつかのグループに分類することができます．ここでは22のグループに分類し，その作用や特徴を述べます．

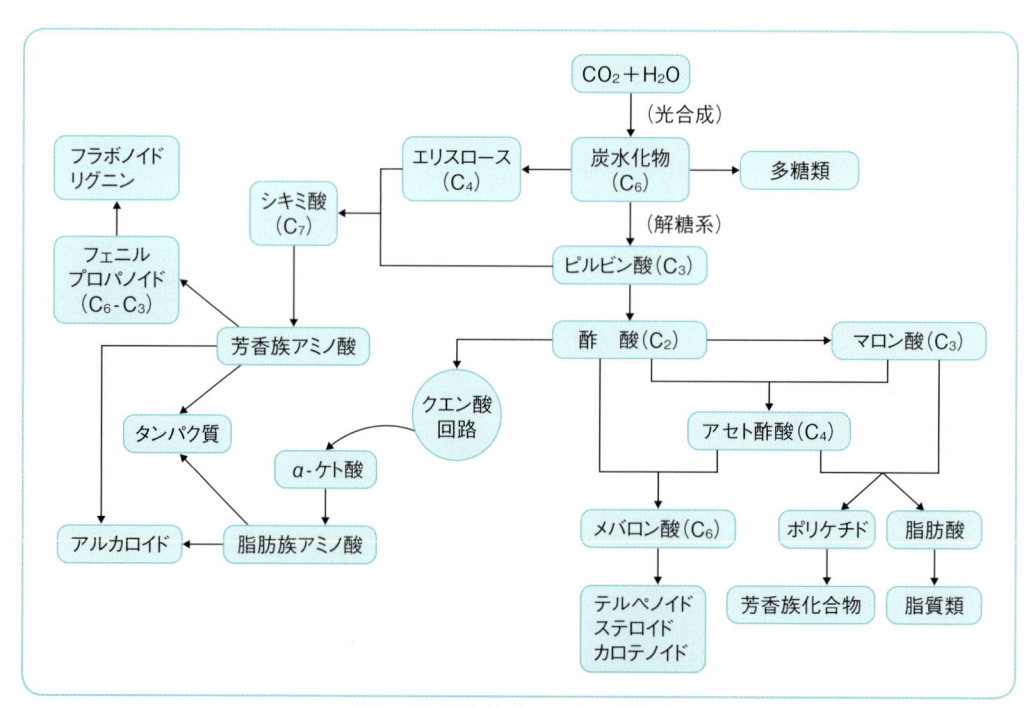

図2　植物化学成分の生合成経路

❶ アルカロイド

窒素原子を含む塩基性の有機化合物で，アミノ酸を前駆体として生合成され，通常強い苦味をもちます．遊離のアルカロイドは水に難溶ですが，塩（塩基性塩）は水やアルコールに溶けます．アルカロイドを含む植物は，中枢性の鎮静・鎮痛・興奮作用など激しい作用をもたらしますので，薬用または有毒植物であることが多く，また，アルカロイドは医薬品や医薬品の原料に用いられます．コーヒーやマテに含まれるカフェインやテオフィリン，パッションフラワーに含まれるハルマンやハルモール，またケシに含まれるモルヒネや，コカに含まれるコカインなどが知られています．

❷ フェニルプロパノイド

フェニルプロパノイドはフェニルプロパン骨格（C_6-C_3構造）を基本とし，シキミ酸経路より生合成され，2次代謝産物の生合成を行ううえで重要な化合物です．キナ酸とのエステルであるクロロゲン酸として，コーヒー豆に含まれるカフェ酸やフェルラ酸，それにアネトールやオイゲノール，エストラゴールなどの精油成分が知られています．なお，フェニルプロパノイドは芳香をもつものが多く，芳香健胃・消炎・抗菌などの作用を発揮します．

❸ フラボノイド

フェニルクロマン骨格（C_6-C_3-C_6構造）を基本とする芳香族化合物の総称で，遊離，または配糖体として植物に広く分布します．構造の違いによりイソフラボン，アントシアニジン，カテキン，カルコンなどのサブグループに分かれ，発汗・利尿・鎮静・鎮痙・毛細血管保護・キレート形成など，さまざまな作用をもたらします．なお，構造により水に難溶のものもあります．フラボノイドとしては，カレンデュラに含まれるクェルセチンやジャーマンカモミールに含まれるアピゲニン，ルテオリンが，フラボノイド配糖体としては，エルダーフラワーに含まれるルチン，クエルシトリン，パッションフラワー，ホーソン，それにチェストベリーに含まれるビテキシンなどが知られています．

❹ リグナン，リグニン

リグナンはフェニルプロパノイドのC_6-C_3単位2個が酸化縮合した構造をもつ化合物で，通常は分子内に数個のフェノール性水酸基をもつため強力な抗酸化作用を有します．リグナンとしてゴマの種子中に含まれるセサミンが，リグナンの配糖体としてバードックの根に含まれるアルクティンが知られています．一方，リグニンはコニフェリルアルコールなどのフェニルプロパノイドが重合した高分子化合物で，植物細胞の細胞壁などに沈着し，構造の強化に役立っています．

❺ クマリン，フロクマリン

クマリンはフェニルプロパノイドのC_3部分がラクトン化した化合物で，これにフラン環がつくとフロクマリン（フラノクマリン）となります．クマリン類としては，サクラの若葉に含まれるクマリンや，ホースチェストナッツに含まれるエスクリン，またフロクマリン類としてはベルガモット精油に含まれ，光毒性の原因となるベルガプテン（5-メトキシソラレン）が知られています．アルファルファ（ムラサキウマゴヤシ）やメリロートなどの牧草が発酵した際に生じるクマロールの二量体であるシクマロールは，抗血液凝固作用（抗ビタミンK作用）を有し，血栓症治療に用いられるワルファリンの先導化合物 lead compound となりました．

❻ ベンゾキノン，ナフトキノン，アンスラキノン

　キノン類の多くは黄色または橙紅色の有色結晶をなし，さまざまな生理活性をもっています．ベンゾキノンとしては，ベルガモット（タイマツバナ）精油に含まれるチモキノンが，ナフトキノンとしては，ムラサキに含まれるシコニンやタヒボに含まれるラパコールが知られています．アンスラキノンとしては，アロエに含まれるアロエエモジンやルバーブに含まれるレインが知られ，これらは下剤として用いられます．アンスラキノンの2分子が脱水素結合した二重分子アンスラキノイドとして，センナの瀉下成分であるセンノシドや，セントジョンズワートの花に含まれる暗赤色成分のヒペリシンが知られています．

❼ 多糖類（グルカン）

　炭水化物のうち，多数の糖が化学的結合によって鎖状に連なった高分子の重合体で，結合の仕方により水溶性と不溶性に，また，デンプンのようにヒトが消化・吸収できるものとできないもの（食物繊維）に分かれます．多糖類の例としてはアラビアゴムのような植物ゴムや，リンゴなどに含まれるペクチン，それにマシュマロウなどに含まれる粘液質があります．また，マイタケやオートに含まれるβ-グルカンや，海藻類に含まれるフコイダンのような免疫賦活作用をもたらす抗腫瘍多糖も知られています．果糖などの単糖類が数十の単位で連なったイヌリンなどのオリゴ糖は，ダンディライオンやバードック，チコリなどの根に含まれ，ビフィズス菌の増殖を促し，腸内環境の改善に役立ちます．

❽ 油　脂

　油脂は1分子のグリセリン（グリセロール）と3分子の脂肪酸が結合したトリグリセリドで，マカデミアナッツ油や月見草（イブニングプリムローズ）油などの植物油と，カカオ脂やシア脂など常温で固体の植物脂に分かれます．なお，ホホバ油は脂肪酸と脂肪アルコールとのエステルで，油脂ではなくロウ（ワックス）に属しますが，常温で液体のため慣例的にホホバ油と称します．植物油脂は一般に不飽和脂肪酸を多く含み，軟膏やマッサージオイルの基剤として用いられ，また脂肪酸バランスの調整を目的に内用されます．αリノレン酸などのω3系脂肪酸の供給源には，インカインチ油，ヘンプ（麻の実）油，フラックスシード（亜麻仁）油が，ω6系脂肪酸であるγリノレン酸の補給には，月見草（イブニングプリムローズ）油が用いられます．

❾ テルペノイド

　C_5H_8のイソプレンを単位（ユニット）として，頭と尾（head-to-tail）で結合している化合物です．イソプレン2単位でモノテルペン，3単位でセスキテルペン，4単位でジテルペン，6単位でトリテルペンとなり，8単位でテトラテルペン（カロテノイド）となります．このうちモノテルペンとセスキテルペン，それにジテルペンの一部は精油成分です．ジテルペンの例としてローズマリーに含まれるロスマノールやカルノソールが，トリテルペンの例としてオレンジの苦味成分であるリモニンや，ダンディライオンに含まれるタラキサステロールが知られています．なお，トリテルペンアルコールの配糖体はサポニンと称します．

❿ ステロイド

　ステロイド骨格をもつC_{18}〜C_{30}の化合物で，ステロイドアルコールの総称をステロールといいます．フィト（植物）ステロールとしてはシトステロールやスティグマステロールが知られています．一方，動物ステロールとしてはコレステロールが，菌類のステロールには日光によりビタミンDに変換されるエルゴステロールがあります．フィトステロールは腸管からのコレステロールの吸収を抑え，脂質異常症や前立腺肥大症の改善に有効です．アーティチョークやダンディライオンにはタラキサステロールが，ネトル（根）にはシトステロールが，また，ソウパルメットにはシトステロールやスティグマステロールが，パンプキンシードにはスティグマステロールが含まれています．

⓫ サポニン

　サポニンはトリテルペンアルコールの配糖体で，非糖部をサポゲニンと呼びます．サポニンの語源がサポ（石けん）からもわかるように，サポニンを含むハーブは水に沈めたときに石けん様の持続性の泡を発生させ，界面活性作用をもつため，古くは洗濯料や洗髪料に用いられました．サポニンは水に難溶でエタノールには熱時溶解し，鎮咳・去痰作用や消炎・強壮作用などをもたらします．リコリス（甘草）に含まれるグリチルリチンや朝鮮人参に含まれる各種のジンセノシド，それにマレインに含まれるバーバスコサポニンなどが知られています．

⓬ カロテノイド

　カロテノイドは黄・橙・紅色の脂溶性の天然色素で，炭化水素であるカロテン類と分子中に酸素を含むキサントフィル類に分類されます．カロテン類はニンジンやカレンデュラのカロテンやトマトのリコピンなどで，キサントフィル類は温州みかんのクリプトキサンチンやコーンのゼアキサンチン，ダンディライオン（花）のルテインなどです．このうち，カロテンやクリプトキサンチンは体内で必要に応じてビタミンAに変換されるため，プロビタミンAと呼ばれます．一方，ビタミンAに変換されないカロテノイドには，強力な活性酸素消去能や発がん抑制作用が報告されています．なお，サフランは水溶性の黄色カロテノイド色素であるクロシンを含みます．

⓭ 植物酸（有機酸・果実酸）

　植物酸は酸味をもつ水溶性の成分で，レモンに含まれるクエン酸は酸味によって食欲を増すとともに，エネルギー代謝に関わり疲労を回復させます．また，腐敗菌の増殖を抑え，便秘を改善し，キレート作用によりカルシウムなどのミネラルの吸収を高めます．植物酸のうち水酸基（ヒドロキシル基）とカルボキシル基をあわせもつクエン酸や，リンゴに含まれるリンゴ酸，サトウキビに含まれるグリコール酸などはαヒドロキシ酸と呼ばれ，角質のピーリングに用いられます．この他の植物酸としては，クランベリーに含まれるキナ酸や，ハイビスカスに含まれるハイビスカス酸が知られています．

⓮ 精油（エッセンシャルオイル）

　精油は，植物が生合成した揮発性の芳香物質を蒸留によって留出させたもので，数百におよぶ多数の精油成分によって構成されています．精油成分の分子構造と活性（作用や安全性）はおおむね相関し，精油は抗酸化作用や抗菌作用とともに，鎮静・鎮痙・消炎・鎮痛・抗不安・去痰など

多様な作用をもたらします．なお，精油成分は脂溶性，かつ分子量が小さい（おおむね300以下）ため経皮吸収が可能であり，アロマセラピー（芳香療法）では，この性質を利用してオイルマッサージが行われます．アロマセラピーでは，ラベンダーやローマンカモミール，ユーカリ，ベルガモット，ティートリーなどの精油が繁用されます．

⑮ 配糖体（グリコシド）

グルコース（ブドウ糖）などの糖類と糖以外の生理活性の強い成分が結合した化合物をいい，糖以外の部分をアグリコン，またはゲニンと呼びます．配糖体は強心・利尿・鎮咳・瀉下・去痰などの薬理作用をもたらします．アグリコンはしばしば水に難溶で吸収されにくく，毒性の強いものもありますが，糖を配置することで水溶性や吸収性が増し，低毒化されます．ヒースに含まれるアルブチンやマレインに含まれるアウクビン，それにデビルズクロウに含まれるハルパゴシドや各種のフラボノイド配糖体が知られています．

⑯ ポリフェノール

ベンゼン環などの芳香環の水素原子が水酸基（ヒドロキシル基）に置換された化合物をフェノール化合物と呼び，水酸基を2つ以上もつ場合はポリフェノール（多価フェノール）といいます．したがって，ポリフェノールはある種のフラボノイドやイソフラボン，カテキンやリグナン，それにフラボノイドの重合体であるオリゴメリックプロアントシアニジン oligomeric proanthocyanidins (OPC) などの総称といえます．ポリフェノールは植物にとって自らを紫外線による酸化傷害や病原菌から守るための生体防御成分であり，ヒトに対しては，①抗酸化（活性酸素消去），②消炎，③抗菌，④アレルギー反応抑制，⑤動脈硬化予防，⑥糖吸収（血糖上昇）抑制，⑦発がん抑制などの機能をもたらします．

⑰ タンニン

タンパク質や塩基性物質と強い親和性をもち，難溶性の沈殿を形成する植物起源のポリフェノール（ベンゼン環などの芳香環に複数の水酸基がついた化合物）の総称をいいます．タンニン tannin の語源は tanning（皮をなめすこと）であることからもわかるように，タンパク質と反応して収れん作用や止瀉作用をもたらします．ラズベリーリーフやザクロに含まれるエラグ酸や茶に含まれるエピガロカテキンガレート，それにウィッチヘーゼルに含まれるプロアントシアニジンや，シソ科タンニンとして知られるロスマリン酸などが知られています．

⑱ 粘液質

植物に含まれる粘りのある液体で，主に各種の多糖類から成ります．粘液質は水分を吸収するとゼリー状に膨潤し，消化管や泌尿器，呼吸器の粘膜を覆って痛みを和らげて治癒を促します．また，粘液質は熱を保持するため，温湿布剤やパップ剤としても用いられます．粘液質はマシュマロウ（アルテア）やウスベニアオイ，バードックやコルツフット，サイリウムやフラックスシード，アイスランドモスやマレイン，リンデンやエルダーフラワーに含まれます．

⑲ 苦味質

苦味を感じる一連の化合物で，その成分はアルカロイドやテルペノイド，フェノール性化合物などさまざまです．苦味成分は唾液や消化液を分泌させ，消化促進・強肝・利胆・緩下作用をも

たらす一方，精神面にも賦活効果をもたらします．苦味健胃薬は苦味質のこうした効果を生かした処方といえます．ダンディライオンに含まれるタラキサシンやアーティチョークに含まれるシナリンやシナロピクリン，それにサフランに含まれるピクロクロシンやバードックに含まれるアルクティインが知られています．

⓴ 含硫化合物（イオウ化合物）

含硫化合物はイオウを含む化合物の総称で，ガーリックなどのユリ科植物の刺激臭である芳香成分や，ブロッコリーなどのアブラナ科植物の辛味成分がこれにあたり，血小板凝集を抑制したり，肝解毒酵素の働きを高め，発がん物質を無毒化して体外に排出するなどして高血圧を改善し，抗がん作用をもたらします．具体的には，ガーリックやタマネギ，ニラに含まれる硫化アリルのアリシンやブロッコリーやカリフラワー，ケールやキャベツ，ダイコンやワサビに含まれるグルコシノレート，それにブロッコリーのスプラウト（新芽）に多く含まれるイソチオシアネートのスルホラファンなどが注目を集めています．

㉑ ビタミン

前述したようにカロテノイド色素のうち，ニンジンやカレンデュラに含まれるカロテン類のカロテンや温州みかんに含まれるキサントフィル類のクリプトキサンチンは，摂取後に体内で必要に応じてビタミンAに変換されるため，プロビタミンAと呼ばれます．ローズヒップや赤パプリカ，ブロッコリーにはビタミンCが多く含まれ，特にローズヒップはレモンの20〜40倍のビタミンCを含みます．小麦胚芽油やインカインチ油，大豆油などの植物油はビタミンEを豊富に含みます．ビタミンAは眼や皮膚粘膜を正常に保ち，ビタミンCはシミなどの色素沈着の予防やコラーゲン合成に関わり，ビタミンEは動脈硬化性疾患や内分泌系の不調を改善します．

㉒ ミネラル

ハーブは各種ミネラルの補給にも役立ちます．カリウムはネトル，エルダーフラワー，クミスクチン，コーン，ハイビスカス，マテ，ダンディライオン（葉）に，鉄はネトル，オート，マルベリー，ハイビスカス，マテに，亜鉛はマルベリー，オートに多く含まれます．また，カルシウムはマルベリー，ネトル，マテに，ケイ素（シリカ）はスギナに飛び抜けて多く，オートやネトルにも含まれます．カリウムは利尿作用をもたらし，鉄は造血に役立ちます．亜鉛は味覚・嗅覚などの感覚機能や性腺・免疫機能を正常に保ちます．カルシウムやケイ素（シリカ）は髪・爪・歯・骨や結合組織を支えます．

3 植物化学成分の分類と安全性

一般に，メディカルハーブは医薬品に比べて安全性が高いといえます．その理由として，① 多様な成分が相乗的に作用して効果を発現しているため，一つひとつの活性成分の量は少ないこと，② 成分が生体に対して生物学的応答調節物質として作用しているため侵襲性が低いこと，③ ヒトは植物化学成分に対して基本的に代謝経路を備えていること，などがあげられます．そもそも，

わが国では作用が激しいものは医薬品に分類されるため，食品分類のハーブについては作用が緩和であるといえます．1例をあげると，アメリカではエフェドラ（麻黄）が比較的自由に売買されるため，ダイエット目的での事故が散見されますが，わが国では医薬品として管理されていますので，そのような事故の報告はアメリカに比べると少ないといえます．

1 メディカルハーブの有害反応

ある薬剤を使用後に，体に生じた不都合なことを有害事象 adverse event といい，有害事象のうち薬剤との関係が否定できないものを薬物有害反応 adverse drug reaction といいます．薬物有害反応は広義の副作用 side effect ともいわれますが，1つの薬の作用が，異なる臓器（作用点）で発現して生じる副作用のことも狭義の副作用といいます（この場合は「副次作用」と訳したほうがよいでしょう）．

メディカルハーブの有害反応には，医薬品と同じように，①副作用 side effect，②中毒反応 toxic reaction，③過敏症 hypersensitivity，④アレルギー allergic reaction があり，①と②は一般に予測可能ですが，③と④は予知困難であり，また①〜④は互いに重なることがあります．これらの具体例と原因を表7に示します．

2 ハザードとリスク

メディカルハーブの安全性を考えるには，ハザードとリスクを分けて考えることが大切です．ハザード（危害要因）とは，ヒトの健康に悪影響をもたらす可能性のある食品中の物質や食品の状態をいい，リスクはそれが体に摂取された結果，悪影響が生じる確率とその程度をいいます．したがって，リスクはハザードと曝露の関数となります．ハザードには，生物学的ハザード（細菌やウイルス）や化学的ハザード（農薬や添加物など），それに物理学的ハザード（異物や放射線など）があります．

一般に，分析技術や毒性試験の進歩もあり，リスクがゼロということは有り得ないので，有害作用の可能性や程度を推定し，それに対処することが基本となります．具体的にはリスクアセスメントとリスクマネジメント，それにリスクコミュニケーションの3つを行います．

また，1つのリスクを避けるために別のリスクを生じさせてしまうことをリスク・トレードオフといいます．リスクの問題は相対的に評価することが大切です．

表7 有害反応の具体例

有害反応	症状	原因
副作用	セントジョンズワートによる胃のむかつき	成分に含まれる多量のタンニン
中毒反応	コンフリーによる肝障害	成分に含まれるピロリジジンアルカロイド
過敏症	マテによる動悸	成分に含まれるカフェイン
アレルギー	ジャーマンカモミールによるかゆみ	キク科アレルゲン

3 • 健康被害の発生要因

健康被害が生じるのはハーブに関わる要因だけでなく、そのハーブを摂取するヒトに関わる要因や摂取の方法に関わる要因があります（表8）。

4 • 有害作用を生じる可能性のある植物化学成分

American Herbal Products Association（AHPA）によるThe Botanical Safety Handbookでは、表9に示すように15種類の注意すべき植物化学成分と有害作用、およびその成分を含有するハーブを掲載しています。なお、このなかにはわが国では医薬品に分類されるものもあります。

5 • メディカルハーブの安全性評価

同じくAHPAのThe Botanical Safety Handbookでは、600種余りのハーブを相対的な安全性、および潜在的な毒性の程度によって4段階に分類しています。表10に各クラスの分類および安全性評価と具体例をまとめて示します。

表8　発生要因の具体例

ハーブに関わる要因	成分自体の有害作用，基原植物の誤り，異物の混入 など
ヒトに関わる要因	感受性，遺伝子多型，高齢者や幼児 など
摂取の方法に関わる要因	長期連用，相互作用，目的外使用 など

表9　注意すべき植物化学成分

植物化学成分	有害作用	成分含有のハーブ
アトロピン	副交感神経遮断	ベラドンナ・ヒヨス・マンドレーク・ダツラ など
アリストロキン酸	発がん・腎毒性	バージニアスネークルートなどのウマノスズクサ科ハーブ など
エストラゴール	発がん性	タラゴン・スイートフェンネル・バジル など
強心配糖体	不整脈など	ジギタリス・ドイツスズラン など
サフロール	発がん性	カンファー・ナツメグ・サッサフラス など
サリチル酸塩	アスピリン中毒	バーチ・ウインターグリーン・ヤロー など
シュウ酸塩	腎障害・カルシウム欠乏症	シェパーズパース・ルバーブ・イエロードック など
青酸配糖体	シアン中毒	ビターアーモンド・ワイルドチェリー・ピーチ など
タンニン	腎，肝，胃などの消化器障害	チャ・ウワウルシ・ウイッチヘーゼル・マテ・ガラナ・トルメンチル など
ツヨン	神経毒	ワームウッド（ニガヨモギ）・セージ・タンジー など
ピロリジジンアルカロイド	肝障害	ボリジ・コンフリー・コルツフット など
β-アサロン	発がん性	スイートフラグ（ショウブ）・ワイルドジンジャー など
ベルベリン	子宮収縮・心臓障害	ゴールデンシール・ブラッドルート など
ヨウ素	甲状腺障害	ブラダーラック・ケルプ など
レクチン	ショック・消化器障害	ミスルトゥ・ヒマ・ポークウイード など

（Michael McGuffin et al. eds.：American Herbal Products Association's Botanical Safety Handbook, CRC Press, 1998）

表10 AHPAの安全性評価

分類		安全性評価	具体例
クラス1		適切に使用する場合，安全に摂取することができるハーブ	ジャーマンカモミール（花），ペパーミント（葉），ローズヒップ（果実）など
クラス2		記載された植物含有成分の使用に関する資格がある専門家（医療従事者）による特別な指示がない限り，以下の使用制限が適用されるハーブ	—
	2a	外用のみ	アルカネット（根），ボリジ（地上部），コンフリー（葉・根）など
	2b	妊娠中に使用しない	サフラン（柱頭），センナ（葉・果実），チェストベリー（果実）など
	2c	授乳期間中に使用しない	ブラックコホシュ（根茎），ブラダーラック（葉状体），エフェドラ（地上部）など
	2d	ほかの特定の使用制限がある	アンジェリカ（根・種子）[*1]，フラックス（種子）[*2]，ガラナ（種子）[*3] など
クラス3		以下のラベル表示を勧告する重要なデータが確認されているハーブ「医療従事者の監督下でのみ適切に使用すること」．ラベルには，次の適正使用情報を記載しなければならない．用量，禁忌，生じ得る有害作用および薬物との相互作用，ならびに本品の安全使用に関するほかの関連情報．	ベラドンナ（葉），ジギタリス（葉），タンジー（地上部）など
クラス4		クラス分類のための十分なデータが入手できないハーブ	イランイラン（種子），バイオレット（葉），ボーンセット（地上部）など

*1 長時間の直射日光の照射は避ける
*2 少なくとも150mL以上の水分とともに摂取すること
*3 過量，または長時間の使用は不可

（Michael McGuffin et al. eds.：American Herbal Products Association's Botanical Safety Handbook, CRC Press, 1998）

C 薬学的視点からみるメディカルハーブ

1 メディカルハーブの品質管理

1 形態学的評価

メディカルハーブの品質について良否を肉眼，ルーペ，顕微鏡などを用いて形態学的に評価する方法をいいます．カモミールを例にあげると，ジャーマンカモミールの円錐形の花床は中空ですが，ローマンカモミールは中空ではありません．また，ネトルは典型的な刺毛（毛状体）をもつなどがあげられます．

2 理化学的評価

❶ 理化学的定性反応（確認試験）

メディカルハーブの成分を目標として定性反応を行うことで，鑑別および品質を評価する方法をいいます．薄層クロマトグラフィー thin-layer chromatography (TLC) による方法や塩化第二鉄による方法などがあります．たとえばミントでは，ペパーミントにはメントフランが含まれますが，スペアミントには含まれないか痕跡程度なので，TLC検出によって両者を区別することができます．また，クローブに含まれるオイゲノールなどのフェノール類は，塩化第二鉄試液によって緑〜青色を呈するため判別することができます．

❷ 定量的評価

定量的評価には精油定量法やガスクロマトグラフィー，液体クロマトグラフィー，高速液体クロマトグラフィーなどを用いる方法があります．ヨーロッパ薬局方では，精油定量法によりジャーマンカモミールは青色精油0.4％以上を，ペパーミント（切断）は精油0.9％以上を規定しています．また，日本薬局方では，ガスクロマトグラフィーを用いて，ユーカリ精油はシネオール70.0％以上を規定しています．

3 官能検査（主観的評価）

メディカルハーブの品質をヒトの五感を利用して判断する方法をいいます．メディカルハーブでは色素成分，芳香成分，呈味成分が機能の本体であるため，機器分析に頼らなくてもある程度まで五感によるチェックが可能です．各成分の例をあげると，色素成分ではカレンデュラは橙色が強いものが良品であり，芳香成分ではペパーミントはメントール臭が強いものが良品であり，

表11 標準化エキスの指標成分と含有量の例

種　類	指標成分の含有量
イチョウ葉エキス	フラボノイド　24％以上，かつテルペンラクトン　6％以上，かつギンコール酸　5ppm以下
セントジョンズワート	ヒペリシン　0.3％以上，またはハイパーフォリン　2～5％
ミルクシスル	シリマリン　70％
ビルベリー	アントシアニジン　25～36％

呈味成分においてはアーティチョークは苦味が強いものが良品であるといわれています．

4　標準化と指標成分（マーカー）

　ハーブサプリメントなどでは粗抽出物に含まれる成分のうち1つ，あるいはいくつかの成分の含有量を規定することによって品質を標準化することが行われています．この成分のことを指標成分（マーカー）といい，製品を標準化エキスなどと呼びます．製造会社はこうした処置を品質管理の手法として用いることで，ロット間に品質の違いがないことや，生物学的同等性を担保しています．また，指標成分は公的に決められたものではないので，製造会社によって異なることがあります．表11に標準化エキスの指標成分と含有量の例を示します．

2　メディカルハーブの剤形と製剤

1　メディカルハーブの剤形

　メディカルハーブの剤形については，日本薬局方の製剤総則が参考になります．製剤総則は2011年4月に公示される第十六改正日本薬局方で全面的に改正される予定ですが，ここでは第十五改正日本薬局方収載の剤形に従い，そのうち参考となる7種を以下にあげます．

❶エキス剤　extracts
　生薬の浸出液を濃縮したもので，軟エキス剤と乾燥エキス剤があります．浸出には温浸（35～45℃），冷浸（15～25℃），またはパーコレーション法（後述）があり，浸出液は通常エタノールと水を種々の割合で混合したものが多く，水，アセトン，エーテルなども用いられます．

❷散剤　powders
　生薬を粉末，または微粒状に製したもので，もっとも古くから用いられている剤形です．

❸シロップ剤　syrups
　白糖の溶液，または白糖，その他の糖類もしくは甘味剤を含む医薬品を，比較的濃稠な溶液とした液状の内用剤です．本剤は吸湿性があるので気密容器で保存し，なるべく早く使用します．

❹浸剤・煎剤　infusions and decoctions
　浸剤および煎剤は，いずれも生薬を通例精製水で浸出して製した液状の製剤です．本剤を製す

表12　使用部位別の大きさ

葉, 花, 全草	粗　切
材, 茎, 皮, 根, 根茎	中　切
種子, 果実	細　切

表13　冷浸法とパーコレーション法

冷浸法	生薬を適切な容器に入れ，全量の約3/4に相当する量の浸出剤を加え，密閉してときどきかき混ぜながら約5日間，または可溶性成分が十分に溶けるまで常温で放置したあと，布ごしします．さらに，残留物に適量の浸出剤を加えて洗い，圧搾し，浸出液および洗液を合わせて全量とし，約2日間放置したあと，上澄液をとるか，またはろ過して澄明な液とします．
パーコレーション法	生薬にあらかじめ浸出剤を少量ずつ加え，よく混和して潤し，密閉して室温で約2時間放置します．これを適切な浸出器になるべく密に詰め，浸出器の下口を開いたあと，生薬が覆われるまで徐々に上方から浸出剤を加え，浸出液が滴下し始めたとき，下口を閉じて密閉し，室温で2～3日間放置します．そのあと，1～3mL/分の速度で浸出液を流出させます．さらに，浸出器に適量の浸出剤を加えて流出を続け全量とし，よく混和し2日間放置したあと，上澄液をとるか，またはろ過して澄明な液とします．この操作中，放置時間，および流出速度は生薬の種類と量とによって適切に変更することができます．

るには，通例生薬を表12に示すような大きさとし，その50gを量り浸煎剤器に入れます．

浸剤は，生薬に精製水50mLを加え約15分間潤したあと，熱精製水900mLを注ぎ，数回かき混ぜながら5分間加熱し，冷後布ごしします．

煎剤は，生薬に精製水950mLを加え，数回かき混ぜながら30分間加熱し，温時布ごしします．

これらの布ごしした浸出液は，浸剤および煎剤，いずれもその生薬を通して適量の精製水を加え，全量を1,000mLとします．浸剤，煎剤は腐敗しやすいので用時調製し，2日分以上の投与は避けるべきです．

❺ チンキ剤　tinctures

生薬をエタノール，またはエタノールと精製水の混液で浸出して製した液状の製剤です．本剤を製するには，通例生薬を粗末，または細切とし，冷浸法macerationとパーコレーション法percolationによって行います（表13）．チンキ剤は，一般に作用の強い成分を含む生薬は，生薬に対する10倍量，緩和な成分の場合は5倍量のチンキを得るように浸出剤量が規定されています．なお，本剤は火気を避け，気密容器で保存します．

❻ トローチ剤　troches

医薬品を一定の形状に製したもので，口中で徐々に溶解または崩壊させて，口腔，咽頭などに適用する製剤です．

❼ リモナーデ剤　lemonades

甘味と酸味があり，通例澄明な液状の内用剤です．本剤を製するには，通例，塩酸，クエン酸，酒石酸，または乳酸のいずれかに単シロップおよび精製水を加えて溶かし，必要に応じてろ過します．

実際にメディカルハーブを用いるときの剤形と処方については，症状別のケア（p.111～）を参考にしてください．

● 2 ● ハーブサプリメント

　ハーブの粗抽出物を錠剤やカプセル剤などの形状に製剤化したものは，ハーブサプリメントと呼ばれます．サプリメントという名称はアメリカのダイエタリー・サプリメントに由来するもので，一般に「栄養補助食品」と訳されます．アメリカのダイエタリー・サプリメントはThe Dietary Supplement Health and Education Act (DSHEA) という法律によって規定されていますが，わが国のサプリメントを規定した法律はありません．ハーブサプリメントの長所としては，もち運べるなど摂取が容易であることと，内容物の定量的な摂取が可能であることがあげられます．一方，短所として，味覚や嗅覚経路の作用が望めないことや，成型の過程で添加物などが付加されることがあげられます．

　ここでは主要なハーブサプリメントを8種取りあげ，成分，作用などについてまとめます．

❶イチョウ葉（学名：*Ginkgo biloba*）

成　　分：フラボノイド（クエルセチン・ケンフェロール），テルペンラクトン（ギンコライド・ビロバリド）

作　　用：抗酸化，血小板活性化因子 (PAF) 阻害，血管拡張

適　　応：認知症（脳血管型，アルツハイマー型），めまい，耳鳴り，末梢循環障害

標 準 化：フラボノイド24％以上，テルペンラクトン6％以上，ギンコール酸5ppm以下

用法・用量：1日120〜240mgを3回に分けて投与します．

服用上の注意：PAFを強力に阻害するため，抗凝固薬との併用には注意します．また，外科的処置の2週間前には服用を中止します．アルキルフェノールのギンコール酸はアレルギーを起こすリスクがあるため，標準化エキスでは5ppm以下と規定されています．

❷セントジョンズワート（学名：*Hypericum perforatum*）

成　　分：ヒペリシン，ハイパーフォリン

作　　用：セロトニン再取り込み阻害，モノアミン酸化酵素阻害

適　　応：軽度〜中等度のうつ，月経前症候群

標 準 化：ヒペリシン0.3％または，ハイパーフォリン2〜5％

用法・用量：1日900mgを3回に分けて投与します．

服用上の注意：肝薬物代謝酵素を誘導し，ある種の医薬品の効果を減弱する可能性があるため，厚生省（現，厚生労働省）は2000年5月10日，セントジョンズワート含有食品と以下の医薬品との併用に関する注意を促す発表を行いました．また，光毒性があるため注意します．

> インジナビル（抗HIV薬），ジゴキシン（強心薬），シクロスポリン（免疫抑制薬），テオフィリン（気管支拡張薬），ワルファリン（血液凝固防止薬），経口避妊薬

C. 薬学的視点からみるメディカルハーブ

❸ ミルクシスル（学名：*Silybum marianum*）

成　分：フラボノリグナン（シリマリン）
作　用：肝細胞保護・修復（再生促進）
適　応：慢性肝炎，アルコール性肝炎，薬剤性肝炎
標準化：シリマリン70％以上
用法・用量：1日420mgのシリマリンを3回に分けて投与します．
服用上の注意：ありません．

❹ エキナセア（学名：*Echinacea purpurea*, *E. angustifolia*, *E. pallida*）

成　分：多糖類（アラビノガラクタンなど），アルキルアミド，エキナコシド，チコリック酸
作　用：インターフェロン産生促進，Tリンパ球・NK細胞の活性化
適　応：上気道感染症，難治性外傷
標準化：エキナコシドやチコリック酸などが指標とされますが確立されていません．
用法・用量：確立されていません．
服用上の注意：コミッションEモノグラフには次のような記載があります（ただし，これらは理論的考察です）．

> 内用・外用とも8週間以上にわたって使用しない．また，結核，白血病，膠原病，多発性硬化症，AIDS，HIV感染，その他の自己免疫性疾患には使用しない．

❺ ソウパルメット（学名：*Serenoa repens*）

成　分：脂肪酸（ラウリン酸・オレイン酸・ミリスチン酸・リノール酸），フィトステロール，フラボノイド
作　用：5α-リダクターゼ阻害，消炎
適　応：良性前立腺肥大（BPH）ステージⅠ～Ⅱ，排尿障害
標準化：脂肪酸およびフィトステロール80～90％
用法・用量：1日320mgを2回に分けて投与します．
服用上の注意：ありません．

❻ イブニングプリムローズ（月見草）（学名：*Oenothera biennis*）

成　分：油脂（リノール酸・γリノレン酸）
作　用：エイコサノイドの調整による消炎・代謝改善
適　応：月経前症候群，アトピー性皮膚炎，リウマチ，注意欠陥多動障害
標準化：γリノレン酸9％
用法・用量：1日3gを3回に分けて食後に投与します．
服用上の注意：ありません．

❼ ビルベリー（学名：*Vaccinium myrtillus*）

成　分：アントシアニン（デルフィニジンなど）
作　用：抗酸化，血管保護，視覚機能向上

適　応：眼精疲労，糖尿病網膜症
標準化：アントシアニジン25〜36%
用法・用量：1日160〜480mgを2〜3回に分けて投与します．
服用上の注意：ありません．

❽ マイタケ（学名：*Grifola frondosa*）

成　分：多糖類（β-1,6-分岐鎖をもつβ-1,3-グルカンなど）
作　用：免疫賦活，糖類・脂質代謝の調整
適　応：化学療法下でのQOL支持，脂質異常症などの生活習慣病予防
標準化：β-グルカンが指標とされるが確立されていません．
用法・用量：確立されていません．
服用上の注意：ありません．

3　メディカルハーブと医薬品の薬物相互作用

1　植物化学成分の体内動態

　植物化学成分は食物と同様に吸収・分布・代謝・排泄の各ステージを経てその役割を終えますが，そのなかで重要なのが腸内細菌による修飾です．

　フラボノイド配糖体は腸内細菌のβ-グルコシダーゼによって加水分解され，疎水性が高まることで腸管からの吸収が容易になります（配糖体のまま糖輸送担体により上皮細胞に取り込まれるルートもあります）．吸収されたアグリコンはすぐにグルクロン酸や硫酸に抱合されます．

　ホワイトウイロウに含まれるサリシンは，腸内細菌によってサリゲニン（サリチルアルコール）とグルコースに加水分解され，さらにサリゲニンは酸化を受けてサリチル酸になります（図3）．吸収されたサリチル酸はグリシンやグルクロン酸に抱合され，一部はさらに酸化されてゲンチジン酸となって尿中に排泄されます．歴史的な背景からみてもホワイトウイロウはアスピリンの生みの親であり，サリシンはサリチル酸のプロドラッグといえます．

　植物化学成分の体内動態に腸内細菌が大きく関わるということは，腸内フローラの個人差に

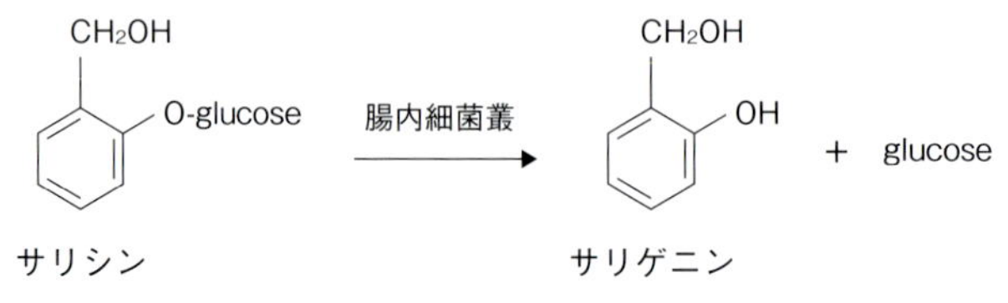

図3　サリシンとサリチル酸の構造式

C. 薬学的視点からみるメディカルハーブ

よってそのハーブの効能・効果に差が生じることを意味します．また，配糖体はヒトにとってのプレバイオティクスでもあるため，日常的にハーブを摂取することは腸内フローラを改善し，アグリコンの吸収を高めるうえでも役立ちます．

2 植物化学成分の薬物相互作用

植物化学成分と医薬品との相互作用は表14に示すようにさまざまありますが，知っておくべきことは，主に次の2点です．

表14 医薬品とハーブの薬物相互作用の具体例

医薬品	ハーブ	相互作用
アスピリン	カフェイン含有ハーブ（カカオ・マテ・ガラナなど）	カフェインによるアスピリンの効果増強
	サリチル酸塩含有ハーブ（メドウスイートなど）	サリチル酸塩の効果過剰リスク
	ローズヒップ	サリチル酸塩の尿中排泄量減少
アセトアミノフェン	カフェイン含有ハーブ（カカオ・マテ・ガラナなど）	カフェインによるアセトアミノフェンの効果増強
アルカロイド製剤	タンニン含有ハーブ（ウイッチヘーゼルなど）	アルカロイドとタンニンによる沈殿の可能性
α-グルコシダーゼ阻害薬	マルベリー	デオキシノジリマイシンによる効果過剰リスク
エストロゲン	エストロゲン様ハーブ（チェストベリーなど）	エストロゲンの作用増強
	ローズヒップ	ビタミンCによるエストロゲンの吸収促進
	カフェイン含有ハーブ（カカオ・マテ・ガラナなど）	エストロゲンによるカフェインの代謝阻害
	ミルクシスル	シリマリンによるβ-グルクロニダーゼ阻害によるエストロゲンのクリアランス増大
エフェドラ	カフェイン含有ハーブ（カカオ・マテ・ガラナなど）	カフェインによる刺激，有害作用増強の可能性
エルゴタミン製剤	カフェイン含有ハーブ（カカオ・マテ・ガラナなど）	カフェインによる胃腸での吸収増大
カリウム排泄型利尿薬	利尿系ハーブ〔スギナ（ホーステール）・コーンシルクなど〕	低カリウム血症のリスク
抗うつ薬	セントジョンズワート	セロトニンの有害作用発現リスク
抗凝固薬，抗血小板薬	サリチル酸塩含有ハーブ（メドウスイートなど）	出血傾向や出血時間延長の可能性
	イチョウ葉	
甲状腺ホルモン薬	ブラダーラック（ヒバマタ）	ヨウ素過剰のリスク
鉄剤	タンニン含有ハーブ（ウイッチヘーゼルなど）	タンニン鉄形成による鉄吸収の抑制
	ローズヒップ	ビタミンCによる鉄吸収の増加
ドパミン作動薬	チェストベリー	チェストベリーのドパミン様作用による作用増強の可能性
トリプタン製剤	セントジョンズワート	セロトニン過剰による有害作用の可能性
光増感薬	セントジョンズワート（ヒペリシン含有）	光増感作用増強による有害作用の可能性
	クロロフィル高含有ハーブ	
β受容体作動薬	カフェイン含有ハーブ（カカオ・マテ・ガラナなど）	カフェインによる陽性変力作用増強の可能性
免疫抑制薬	エキナセア・マイタケ・ミスルトゥー・パウダルコ・キャッツクロー	免疫賦活作用による薬剤の効果減弱の可能性
ワルファリン	ローズヒップ	ビタミンCによる抗凝固作用減弱の可能性
	イチョウ葉	抗凝固作用増強の可能性
	セントジョンズワート	ワルファリンの代謝酵素を誘導するため，抗凝固作用減弱の可能性
	デビルズクロウ	抗凝固作用の増強による紫斑病発現の可能性

① 血液凝固への影響：植物化学成分にはイチョウ葉 (p.78) のように血液凝固を抑制する可能性のあるものがあります．
② 肝薬物代謝酵素への影響：植物化学成分にはセントジョンズワート (p.78) のように肝薬物代謝酵素を誘導する可能性のあるものがあります．

　植物化学成分はヒトにとって異物であり，上記のように摂取した際に代謝系が亢進することは合理的です．この他，フロクマリン類を含むハーブにより光感受性が高まる可能性や，粘液質を含むハーブにより医薬品の吸収が遅延，または減少する可能性などがあります (表14).

　ただし，一般にいわれるハーブと医薬品の薬物相互作用の可能性についてはあくまでも理論的なものなので，実際に大きな不利益を生じることはまれです．植物化学成分は生体に対して生物学的応答調節物質 biological response modifier (BRM) として作用するので，茶剤 (ハーブティー) などの剤形ではリスクは少ないといわれています．一方，サプリメントなど，抽出物を濃縮したかたちで集中的に服用する場合は注意が必要です．また，一般に薬物相互作用は不利益を回避する目的で考慮されますが，併用による効果を意図して行う場合があります．たとえば，アセトアミノフェンとミルクシスルを併用することで，ミルクシスルの肝保護作用により薬剤性肝障害を予防するなどの方法があります．

D 主要メディカルハーブ 12種のモノグラフ

　ここでは植物療法で使われている代表的な12種類のメディカルハーブについて，学名や科名，使用部位や含有成分，また作用や適応，服用法，注意などについてモノグラフ形式でまとめています．こうした情報は，メディカルハーブを安全かつ有効に使用するために，伝統的な知識や使用方法を植物化学や薬理学などにより再評価したものなので，メディカルハーブを実際に使用する前にしっかりと学習しておきましょう．また，それぞれのメディカルハーブを用いた研究報告を3点ずつ掲載していますので，参考にしてください．

　なお，12種類のメディカルハーブの選択方法については，学術論文が比較的多く備わっていて服用しやすく，わが国で容易に入手可能なものに限って選びました．

安全性について

　アメリカハーブ製品協会 American Herbal Products Association (AHPA)，は1997年に約650種のメディカルハーブの安全性を4つのクラスに分類し，The Botanical Safety Handbook（翻訳「メディカルハーブ安全性ハンドブック」，東京堂出版）として出版しました．このモノグラフにおける「安全性」の項目には，AHPAの安全性評価（表15）を記載しています．

表15　AHPAの安全性評価

分類		安全性評価
クラス1		適切に使用する場合，安全に摂取することができるハーブ
クラス2		記載された植物含有成分の使用に関する資格がある専門家（医療従事者）による特別な指示がない限り，以下の使用制限が適用されるハーブ
	2a	外用のみ
	2b	妊娠中に使用しない
	2c	授乳期間中に使用しない
	2d	ほかの特定の使用制限がある
クラス3		以下のラベル表示を勧告する重要なデータが確認されているハーブ「医療従事者の監督下でのみ適切に使用すること」ラベルには，以下の適正使用情報を記載しなければならない．用量，禁忌，生じ得る有害作用および薬物との相互作用，ならびに本品の安全使用に関するほかの関連情報
クラス4		クラス分類のための十分なデータが入手できないハーブ

（Michael McGuffin et al. eds.：American Herbal Products Association's, Botanical Safety Handbook, CRC Press, 1998）

エキナセア

　エキナセア属のなかでもメディカルハーブとして用いられるのは，アングスティフォリア，パリダ，プルプレアの3種に限られます．エキナセアは北アメリカの先住民がもっとも大切にしたハーブで，かぜや伝染病の治療に用いられました．その後エキナセアは，19世紀末にヨーロッパに紹介され栽培が開始されました．またアメリカではエクレクティック派（折衷主義）の医師によって積極的に用いられ，戦後はドイツを中心にエキナセアの科学的研究が進められ，免疫賦活作用や抗ウイルス作用などの有効性や安全性が確認されました．1例をあげるとエキナセアの多糖体はマクロファージの活動を活発にし，インターフェロンの産出を促進することが報告されています．現在では，かぜやインフルエンザ，ヘルペス，カンジダ症，膀胱炎などの感染症に単独で，または医薬品の補助療法として用いられ，また治りにくい傷には外用で用いられます．使用部位は，はじめ根でしたが現在では地上部も用いられ，剤形も生の圧搾液やカプセル剤，チンキ剤，注射剤などさまざまな製剤が用意されています．

- 学　名　*Echinacea angustifolia*, *Echinacea pallida*, *Echinacea purpurea*
- 英　名　Echinacea
- 科　名　キク科
- 使用部位　地上部，根部
- 含有成分　カフェ酸誘導体（エキナコシド，シナリンなど）0.3～1.7％，多糖類（ヘテログリカン類など），アルキルアミド（イソブチルアミドなど）0.01～0.15％，精油0.1％以下，ピロリジジンアルカロイド（微量）
- 作　用　免疫賦活，創傷治癒，抗菌，抗ウイルス，消炎
- 適　応　かぜ・インフルエンザなどの上気道感染症，尿道炎などの泌尿器系感染症，治りにくい傷
- 服用法　根部をティースプーン山盛り1/2杯（約1g）に熱湯150mLを注ぎ，フタをして10分間抽出したものを1日3回食間に服用します．地上部の場合はティースプーン山盛り1杯（約3g）を使用します．
- 注　意　ドイツのコミッションEモノグラフには次の記述があります．「結核，白血病，膠原病，多発性硬化症，エイズ，HIV感染およびその他の自己免疫疾患のような進行性疾患には禁忌」
- 安全性　メディカルハーブ安全性ハンドブック：クラス1
- 関連情報　①ドイツのコミッションEモノグラフでは，*E. pallida*と*E. purpurea*について使用期間を8週間以内としています．
　②エキナセアのうち医療用として用いられるのは，*E. angustifolia*, *E. pallida*, *E. purpurea*の3種です．このうちイギリスハーブ薬局方（BHP）では*E. angustifolia*種の根を収載し，ドイツのコミッションEモノグラフでは*E. purpurea*種の開花期の地上部と，*E. pallida*種の根部を承認ハーブ（approved herbs）として収載しています．

D. 主要メディカルハーブ12種のモノグラフ

メディカルハーブの有用性

❶ 小児上気道感染症の症状における安全性と有効性

　Saundersらは，*Echinacea purpurea*種の地上部の圧搾汁（以下，エキナセア製剤）を小児に適用した場合の安全性，有効性について，保護者の了解のもと，上気道感染症の症状を有する2〜12歳までの小児11人を被験者として，2〜5歳は1回2.5mL，6〜12歳は1回5.0mLを1日3回13日間服用してもらい，再診の際に保護者が記録した症状や服用の状況，および副作用の有無などについて調べました．副作用などはなく，服用により症状の緩和がみられたことが報告されました[1]．これより，エキナセア製剤は小児へ安全に適用され，有効であることが示唆されています．

❷ インフルエンザウイルスA型感染に関する効果

　Bodinetらは，マウスにインフルエンザA型ウイルスの鼻腔内感染6日前から14日間，飲用水に*E.pallida*, *E.purpurea*の根，ホワイトシダー（ヒノキ科 ニオイヒバ）の葉，ワイルドインディゴ（マメ科 ムラサキセンダイハギ）の根のエタノール抽出物混合製剤（以下，混合製剤）を添加することによって服用させ，その状態を21日間記録し，感染したマウスの生存率と死亡までの日数および感染したマウスの肺組織硬化とウイルスの力価を検討した結果，混合製剤を服用することにより，感染したマウスの生存率は顕著に上昇し，死亡までの平均日数は延長したと報告しています[2]．また，肺組織硬化が抑えられ，ウイルスの活性が減少したことが確認されました[2]．これより感染の6日前から服用することによって，インフルエンザA型ウイルスの病状を抑えることが示唆されています．

❸ 妊娠期間服用の安全性

　妊娠に気づかない妊婦さんが，妊娠初期にエキナセアを服用していることが多々ありますが，妊娠中のエキナセア服用の安全性については情報が乏しいため，Galloらは，妊娠中にエキナセアサプリメント（カプセル，錠剤，チンキ剤）を服用したとして来院した，206人（妊娠初期に服用した112人を含む）の女性について，その後の妊娠・出産の転帰（出産時の生死，正常分娩，自然流産，治療的な流産，奇形や染色体異常など）について調査しました．妊娠中にエキナセアを服用していない対照群と比較検討した結果，両群に統計学的な差異はみられなかったと報告しています[3]．これより，妊娠中のエキナセア服用は，胎児の器官形成や，妊娠・出産の転帰に影響を与えるものではないことが示唆されています．

文献

1) Saunders PR et al.：*Echinacea purpurea* L. in children：safety, tolerability, compliance, and clinical effectiveness in upper respiratory tract infections. Can J Physiol Pharmacol, 85：1195-1199, 2007.
2) Bodinet C et al.：Effect of oral application of an immunomodulating plant extract on Influenza virus type A infection in mice. Planta Med, 68：896-900, 2002.
3) Gallo M et al.：Pregnancy outcome following gestational exposure to Echinacea：a prospective controlled study. Arch Intern Med, 160：3141-3143, 2000.

🌱 エルダーフラワー 🌱

　エルダーフラワーは初夏に小さなクリーム色の花をすずなりにつけますが，ヨーロッパの伝統医学とアメリカ先住民の伝統医学のいずれにも用いられてきた歴史をもち，数多くの神話や伝説にも登場することで知られています．欧米では「インフルエンザの特効薬」と呼ばれ，単独で，またはペパーミント (*Mentha piperita*) やリンデン (*Tilia europaea*) などとブレンドして用いられます．エルダーフラワーはフラボノイドハーブの代表であり，発汗，利尿作用にすぐれています．これらのメカニズムは完全には解明されていませんが，発汗作用はフラボノイドとクロロゲン酸などのフェノール酸が，また利尿作用はフラボノイドと豊富に含まれるカリウムが関与しているものと考えられます．またエルダーフラワーは抗カタル作用をもつため，花粉症に用いると奏効することがしばしばあります．剤形としてはハーブティーやシロップ剤，チンキ剤などがありますが，この他にもコーディアルと呼ばれる伝統的な製法による飲料が知られています．

- 学　名　*Sambucus nigra*
- 英　名　Elder flowers
- 和　名　西洋ニワトコ
- 科　名　スイカズラ科
- 使用部位　花部
- 含有成分　精油0.03～0.14％，フェノール酸3％（クロロゲン酸），フラボノイド配糖体1.8％（ルチン，クエルシトリン），粘液質，青酸配糖体（サンブニグリン＜痕跡量＞），ミネラル8～9％（特にカリウム）
- 作　用　発汗，利尿，抗アレルギー
- 適　応　かぜ・インフルエンザの初期症状，花粉症などのカタル症状
- 服用法　本品ティースプーン山盛り2杯（3～4g）に熱湯150mLを注ぎ，フタをして5分間抽出したものを1日数回（特に午後）服用します．用時調製し，できるだけ熱いうちに服用します．
- 注　意　特になし
- 安全性　メディカルハーブ安全性ハンドブック：クラス1
- 関連情報　果実（エルダーベリー）はアントシアニン色素を豊富に含み，またクエン酸，リンゴ酸などの植物酸（果実酸）や約0.03％のビタミンCを含みます．

メディカルハーブの有用性

❶ 2型糖尿病への効果が期待される活性成分の同定

　2型糖尿病はインスリン抵抗性が増し，膵β細胞の疲弊によって起こります．2型糖尿病治療に用いるインスリン抵抗性改善薬の1つには，核内のペルオキシソーム増殖薬活性化受容体γ peroxisome proliferator-activated receptor γ（PPARγ）のアゴニストであるチアゾリジン誘導体（ピオグリタゾン塩酸塩）がありますが，エルダーフラワーのエキスはこのPPARγを活性化することが報告されています．Christensenらは，エルダーフラワーのメタノールエキスで，この

活性要因となる成分の同定を試みた結果，エルダーフラワーの含有成分として，αリノレン酸，リノール酸，フラボノンの1つであるナリンゲニンの3種のPPARγアゴニストを同定しました[1]．ナリンゲニンは脂肪細胞の分化を促進せずにPPARγを活性化しますが，これら3種の成分がPPARγを活性化する物質のすべてではないことが考えられるため，さらに調べる必要があります．またエルダーフラワーの含有するフラボノイド配糖体は，PPARγを活性化することはありませんでしたが，それらのアグリコンについては活性を有する可能性が考えられるため，さらなる検討が必要です．

❷ エルダーフラワーを含む3種のハーブ成分における高度の違い

Riegerらは，中央ヨーロッパでハーブとしてよく使われるエルダーフラワー，カルーナ（ツツジ科ヒースの仲間），ビルベリー（ツツジ科）の3種について，生育地の高度が増すにつれて，フラボノール3-O-グリコシドヒド含有量が多くなることが観察され，また，エルダーベリー，ビルベリーの果実中におけるアントシアニンは，高度が増すにつれて少なくなることがわかったと報告しており，また，エルダーフラワーの成分として3,5-O-ジカフェオイルキナ酸が新しく同定されました[2]．これより上記3種は生育地の高度により，含有成分量に差異があることが認められています．

❸ エルダーフラワーとアスパラガスによる体重減少効果

Chrubasikらは，体重減少を目的としたサプリメントとしての効果と安全性について，80人を対象とした観察研究を行いました．エルダーフラワーの製剤は，花エキスと果実の圧搾汁を錠剤としたもので，1日分にアントシアニン1mg，フラボノールグルコシド370mg，ヒドロキシケイヒ酸150mgを含んでいます．アスパラガスは1日にサポニン19mgを摂取できる錠剤を用意しました．これらを一定期間服用後，体重，生理的および感情的なQOLにおいて調べたところ，平均体重は減り，QOLは向上したと報告しています[3]．効果が発現し，なおかつ抵抗性は発現せず，ほとんどの被験者でよい結果が得られたことから，エルダーフラワーおよびアスパラガスのブレンドにより，安全に体重減少効果を得られることが示唆されています．

文献

1) Christensen KB et al.：Identification of bioactive compounds from flowers of black elder (*Sambucus nigra* L.) that activate the human peroxisome proliferator-activated receptor (PPAR) gamma. Phytother Res, 24：S129-132, 2010.
2) Rieger G et al.：Influence of altitudinal variation on the content of phenolic compounds in wild populations of *Calluna vulgaris*, *Sambucus nigra*, and *Vaccinium myrtillus*. J Agric Food Chem, 56：9080-9086, 2008.
3) Chrubasik C et al.：An observational study and quantification of the actives in a supplement with *Sambucus nigra* and *Asparagus officinalis* used for weight reduction. Phytother Res, 22：913-918, 2008.

🌱 カレンデュラ（マリーゴールド）🌱

　メディカルハーブとしてマリーゴールドを用いる場合は，フレンチマリーゴールド（*Tagetes patula*）などほかの品種のものと混同しないように，学名にちなんでカレンデュラと呼びます．カレンデュラは古くから胃潰瘍や黄胆それにのどの炎症や外傷，熱傷に用いられてきましたが，その作用の本質は，損傷を受けた皮膚や粘膜を修復・保護することにあります．このメカニズムはまだ完全には解明されていませんが，カレンデュラの成分である多糖体が免疫系を調整し，さらにカロテノイド色素やフラボノイドなどが複合的に働いて創傷治癒を促します．さらに抗菌作用や白癬菌などへの抗真菌作用，ヘルペスなどに対する抗ウイルス作用，トリコモナスなどへの抗寄生虫作用が確認されています．カレンデュラの花弁をアルコールに浸出したカレンデュラチンキは，原液または希釈して内用・外用ともに用いられます．また，カレンデュラの花弁を植物油に浸出したカレンデュラ油と，ミツロウで作ったカレンデュラ軟膏は，口唇の荒れや主婦湿疹などに万能軟膏として用いられます．

- 学　名　*Calendula officinalis*
- 英　名　Calendula
- 別　名　マリーゴールド
- 和　名　トウキンセンカ
- 科　名　キク科
- 使用部位　花部
- 含有成分　カロテノイド（カロテン，キサントフィルなど），フィトステロール（タラキサステロールなど），フラボノイド（クエルセチンなど）0.88％以下，苦味質，多糖類，精油0.12％以下
- 作　用　皮膚・粘膜の修復，消炎，抗菌，抗真菌，抗ウイルス
- 適　応　口腔の炎症，皮膚炎，創傷，下腿潰瘍
- 服用法　①本品ティースプーン山盛り1～2杯（2～3g）に熱湯150mLを注ぎ，フタをして10分間抽出した温浸剤を，温時1日数回ガーグルとして使用します．
　　　　　②チンキ剤2～4mLを250～500mLの水に希釈したものを湿布剤として用います．
- 注　意　特になし
- 安全性　メディカルハーブ安全性ハンドブック：クラス1
- 関連情報　従来は胃炎や胆嚢炎などに消炎，鎮痙の目的で用いられましたが，現在では色彩を活かして混合茶剤に構成されることが多くなっています．

メディカルハーブの有用性

❶紫外線の酸化ストレスによる皮膚損傷に対する保護作用

　Fonsecaらは，紫外線の酸化ストレスによる皮膚損傷を予防するために，必要なカレンデュラの用量を明らかにすることを目的に研究を行ったところ，カレンデュラの水性アルコール抽出物は培養細胞を用いた実験で抗酸化作用を有し，濃度依存的であること，細胞毒性については

15 mg/mL以下ではみられませんが30 mg/mL以上でみられることが明らかとなったことを報告しています[1]．また，ヘアレスマウスを用いて，紫外線での酸化ストレスからの皮膚保護作用を，皮膚損傷のレベルを示すグルタチオンとマトリックスメタロプロテイナーゼの活性で検討したところ，カレンデュラエキス150 mg/kgおよび300 mg/kgの服用により，グルタチオンのレベルは紫外線の照射を受けないマウスとほぼ同様となり，紫外線照射により変化するマトリックスメタロプロテイナーゼ2および9の活性への影響もあることがわかりました[1]．これらの結果より，カレンデュラは抗酸化作用を有し，服用することにより皮膚の損傷を予防する効果があることが示唆されています．

❷創傷治癒効果

Preethiらは，カレンデュラ製剤がラットの外傷治癒に効果を有するかについて調べていて，外傷を受けた8日後，カレンデュラを用いた群では外傷部の90.0％が修復したことに対して，対照群では修復率は51.1％にとどまり，また外傷部位の上皮化には，対照群で17日を要したことに対し，カレンデュラを20 mg/kg，または100 mg/kg用いた群では，各々14日，13日に短縮されたと報告しています[2]．さらに，創傷治癒時に増殖する肉芽組織中のヒドロキシプロリン（コラーゲンの主要成分）とヘキソサミンの量については，カレンデュラグループで顕著に増大したと報告しています[2]．これより，カレンデュラには創傷治癒効果があることが示唆されています．

❸抗酸化作用

Cordovaらは，カレンデュラ乾燥花部を50％エタノールに浸漬後，その濃縮ろ過液の各分画から，細胞毒性がもっとも小さかったブタノール分画を用いて，カレンデュラの効能と抗酸化作用との関連について，ラットの肝臓で検討しました．ラット肝細胞にブタノール分画0.5～10.0 mg/mLを加えて培養し，生存状態を分光測光法によって測定，細胞レスピレーション（呼吸）およびスーパーオキシドラジカルとヒドロキシラジカルについて検討した結果，カレンデュラのブタノール分画はスーパーオキシドラジカルおよびヒドロキシラジカルともに濃度依存的に減少させ，スカベンジャーとして作用することが示唆されました[3]．さらに，鉄イオン・アスコルビン酸塩で誘起した肝臓ミクロソームの脂質の過酸化に対する影響について，過酸化脂質生成の指標であるチオバルビツール酸反応性物質（TBARS）で検討したところ，TBARS濃度を濃度依存的に減少させたと報告しています[3]．これらの結果より，カレンデュラのブタノール分画は，フリーラジカルスカベンジャーとしての作用を有しており，これがカレンデュラの効能をもたらしているものと考えられます．

文献

1) Fonseca YM et al.：Protective effect of *Calendula officinalis* extract against UVB-induced oxidative stress in skin：evaluation of reduced glutathione levels and matrix metalloproteinase secretion. J Ethnopharmacol, 127：596-601, 2010.
2) Preethi KC et al.：Wound healing activity of flower extract of *Calendula officinalis*. J Basic Clin Physiol Pharmacol, 20：73-79, 2009.
3) Cordova CA et al.：Protective properties of butanolic extract of the *Calendula officinalis* L. (marigold) against lipid peroxidation of rat liver microsomes and action as free radical scavenger. Redox Rep, 7：95-102, 2002.

🌱 ジャーマンカモミール 🌱

　世界中でもっとも親しまれているハーブティーといえば，ジャーマンカモミールティーといえるでしょう．イギリスの童話「ピーターラビット」のお話では，興奮して疲れた様子のピーターに，母親ウサギが1杯のカモミールティーを作ってベッドに運ぶ場面が描かれています．ジャーマンカモミールは胸やけ，胃炎，仙痛，月経痛，冷え症，不眠など幅広い薬効を示すため，どこの国でも「緑の薬箱」の定番ハーブになっています．主要成分としては，消炎成分のカマズレンやα-ビサボロール，蒸留の際にカマズレンに変化するセスキテルペンラクトンのマトリシン，強力な鎮痙作用を発揮するフラボノイドのアピゲニンなどが知られています．わが国にも江戸時代にオランダやポルトガルから渡り，日本薬局方にも第七改正（1962年）まで収載されていました．なお，ジャーマンカモミールでアレルギーを起こすケースもありますが，一方では「本物の」ジャーマンカモミールではなく，近縁種を用いるために起こるといった指摘もされています．

- 学　名　*Matricaria chamomilla*（＝*Matricaria recutita*）
- 英　名　German chamomile
- 和　名　カミツレ
- 科　名　キク科
- 使用部位　花部
- 含有成分　精油0.4〜2.0%（α-ビサボロール，カマズレン），セスキテルペンラクトン類（マトリシンなど），フラボノイド6〜8%（アピゲニン，ルテオリンなど），コリン，クマリン類，その他
- 作　用　消炎，鎮静，鎮痙，駆風
- 適　応　胃炎，胃潰瘍，月経痛，皮膚炎，口内炎には外用で使用します．
- 服用法　本品食サジ山盛り1杯（約3g）に熱湯150mLを注ぎ，フタをして5〜10分間抽出したものを1日3〜4回服用します．胃炎，胃潰瘍には食間に服用し，上気道の炎症には蒸気吸入を行います．口内炎や咽頭炎にはマウスウォッシュやガーグルで使用します．皮膚炎には湿布剤および入浴剤として使用します．
- 注　意　特になし
- 安全性　メディカルハーブ安全性ハンドブック：クラス1
- 関連情報　
  ①温浸剤は眼の周辺には使用しません．
  ②キク科アレルギーの人は注意します．真性のジャーマンカモミール以外ではアレルギーが起こることがあるので確認します．
  ③蒸留時にセスキテルペンラクトンのマトリシンが，加水分解，脱水，脱炭酸を経て消炎成分カマズレンを生じます．
  ④精油およびアピゲニン含量の多いものが良品です．
  ⑤ジャーマンカモミールは花床が空洞ですが，ローマンカモミール（*Anthemis nobilis*）は空洞ではありません．
  ⑥第七改正日本薬局方（1962年）には，消炎，発汗，駆風剤として収載され，常用量1回5g，1日15gと記載されていました．

D. 主要メディカルハーブ12種のモノグラフ

メディカルハーブの有用性

❶ 注意欠陥多動性障害の症状に対する効果

　Niederhoferは，医師による診察および注意欠陥多動障害 attention deficit/hyperactivity disorder（ADHD）症状の度合を示すADHD Rating Scaleのスコアにより抽出された2人の思春期の患者さん（罹患期間6年以上）を対象として，ADHDの症状改善についてジャーマンカモミールエキスの効果を検討しました．このエキスは96％エタノール抽出のチンキ剤であり，1回の用量は（−）-α-ビサボロール100mg，精油0.19mgでした．ジャーマンカモミールエキスを毎日3回4週間服用する試験Aと，プラセボを同様に服用する試験Bを交互に行い，試験AおよびBの前後のADHD Rating Scaleのスコアを比較したところ，試験A前後でスコアが大幅に下がり，ジャーマンカモミールによるADHD症状改善を示唆する結果を得，また問題となる副作用もみられなかったと報告しています[1]．

❷ 急性胃粘膜病変に対する胃保護効果

　ジャーマンカモミールエキスとその主要成分であるα-ビサボロールの胃保護効果について，96％エタノールにより急性胃粘膜病変を発症させたラットに経口投与し，患部の経過を観察したBezerraらの報告によると，カモミールは検討したどの濃度においても胃の損傷を改善し，α-ビサボロールは50および100mg投与で胃粘膜病変を改善したとしています[2]．さらに，α-ビサボロールは，ATP感受性カリウムチャネル阻害薬であるグリベンクラミドで前処理したところ効果が激減したため，α-ビサボロールによる胃保護効果には，ATP感受性カリウムチャネルの働きが関与していることが示唆されました[2]．これより，ジャーマンカモミールの胃保護効果が期待されています．

❸ けいれんに対する有効性

　Heidariらは，ピクロトキシンによりけいれんを発現させるマウスに，カモミールエキスを投与することによって，どのように影響するかについて調べました．カモミールエキスを事前に腹腔内投与し，ピクロトキシンを投与，けいれんが発現するまでの時間，けいれんの持続時間，死亡するまでの時間，死亡率を，カモミールエキスの用量の違い（100, 200, 300mg/kg）により比較した結果，けいれんが起こるまでの時間は用量により異なり，もっとも遅延させたのは200mg/kgで，この濃度では死亡に至る時間も遅延させましたが，死亡率に関してはどの濃度でも低減させることはなかったと報告しています[3]．これらの結果により，ジャーマンカモミールは鎮痙作用を示し，けいれん発現までの時間や持続時間を抑制する効果があることが示唆されています．

文献

1) Niederhofer H：Observational study：*Matricaria chamomilla* may improve some symptoms of attention-deficit hyperactivity disorder. Phytomedicine, 16：284-286, 2009.
2) Bezerra SB et al.：Bisabolol-induced gastroprotection against acute gastric lesions：role of prostaglandins, nitric oxide, and KATP + channels. J Med Food, 12：1403-1406, 2009.
3) Heidari MR et al.：Study of antiseizure effects of *Matricaria recutita* extract in mice. Ann N Y Acad Sci, 1171：300-304, 2009.

🌱 セントジョンズワート 🌱

　毎年6月24日の聖ヨハネの日（St. John's Day）に収穫すると，もっとも治癒力が強いといわれるセントジョンズワートは，古代ギリシアの時代から傷の手当てや利尿，月経困難などに用いられてきました．近年になって悲嘆や絶望，恐れなどの感情や抑うつに対する効果が確認され，大きな関心を集めています．暗い心に明るさを取り戻すことから「サンシャイン・サプリメント」と呼ばれ，実際に季節性感情障害にも用いられています．セントジョンズワートの抗うつのメカニズムは，当初モノアミン酸化酵素 monoamine oxidase（MAO）阻害とされていましたが，阻害作用はきわめて弱いと判明し，その後セロトニン再取り込み阻害とする説など諸説が検討されており，作用の中心となる成分もヒペリシン説やハイパーフォリン説，その他の説が報告されています．セントジョンズワートの黄色い花を植物油に浸出せしめ，ヒペリシンを含む赤色色素を溶出させたセントジョンズワート油は外傷ややけどに外用したり，アロマセラピーの基剤として用いられ，ほかに外用のチンキ剤は消毒をかねて消炎，鎮痛の目的で用いられます．

- 学　名　　*Hypericum perforatum*
- 英　名　　St. John's wort
- 和　名　　西洋オトギリソウ
- 科　名　　オトギリソウ科
- 使用部位　開花時の地上部
- 含有成分　ジアンスロン類（ヒペリシン，ソイドヒペリシンなど）0.1～0.3％，フラボノイド配糖体（ルチン，ヒペロシドなど），ハイパーフォリン3％まで，タンニン10％まで，精油0.05～0.3％
- 作　用　　抗うつ，消炎，鎮痛
- 適　応　　神経疲労，軽度～中等度の抑うつ，季節性感情障害，月経前症候群，創傷，やけど
- 服用法　　①本品ティースプーン山盛り1～2杯（約2～4g）に熱湯150mLを注ぎ，フタをして10分間抽出したものを，毎日朝夕カップ1～2杯服用します（効果発現まで数週間から数ヵ月を要します）．
  　　　　　②ドイツのコミッションEモノグラフでは服用量として本品1日2～4gまたは全ヒペリシン量として0.2～1mgを規定しています．
  　　　　　③標準化エキスではヒペリシン0.3％含有製剤300mgを1日3回（ヒペリシン2.7mg）またはハイパーフォリン2～4.5％含有製剤300mgを1日3回服用します．
  　　　　　上記のほかに浸出油としても用いられます．
- 注　意　　①ヒペリシンに光感作用があるため，とくに色白の人は注意します．
  　　　　　②薬物代謝酵素を誘導するため，インジナビル（抗HIV薬），ジゴキシン（強心薬），シクロスポリン（免疫抑制薬），テオフィリン（気管支拡張薬），ワルファリン（血液凝固防止薬），経口避妊薬との併用に注意します．
- 安全性　　メディカルハーブ安全性ハンドブック：2d（MAO阻害薬を増強）

D. 主要メディカルハーブ12種のモノグラフ

メディカルハーブの有用性

❶重度の抑うつに対する効果：コクランレビュー

　コクラン共同計画は，これまで2000年と2005年にセントジョンズワートの抑うつ効果についての見解を発表していますが，それらは軽度から重度と対象の幅が広く，重度の患者さんに限定したものではありませんでした．2008年に発売されたレビューでは，少なくとも4週間のトライアル期間をもった79の臨床試験結果（無作為・二重盲検試験に限る）について評価していて，それによるとセントジョンズワートは重度の抑うつを改善する効果があり，安全であると報告されています[1]．このレビューは，2002年に発表された重度の抑うつ改善には，セントジョンズワートの効果は認められなかったという報告や[2]，軽度から中等度の抑うつには効果があるが，重度の抑うつには効果がみられないというこれまでの一般的な見解とは異なっています．

❷抗酸化作用

　Huntらは，セルフリー系およびヒト胎盤静脈組織培養系におけるセントジョンズワートの抗酸化作用を，キサンチン−キサンチンオキシダーゼによって酵素的にスーパーオキシドの生成を誘発し，その生成の指標としてルシゲニン発光の消失を観察することで検討しました．用いる希釈液は，ヒペリシンやハイパーフォリンの含有量により標準化された市販のセントジョンズワートを，アルカリ性溶液に溶解して，1：1〜20の割合で作成したものとしたところ，1：1の最高濃度希釈液では酸化促進作用がみられましたが，より低濃度では抗酸化作用がみられ，また，濃度が1：1未満の希釈液では，濃度に反比例してスーパーオキシド除去作用がみられ，最大除去能は1：20の最大希釈液で観察されたと報告しています[3]．この結果より，セントジョンズワートにはフリーラジカル生成を阻害する抗酸化作用があることが示唆されています．

❸抗がん作用：光線力学的療法への応用

　Cavargaらは，線維肉腫細胞を接種させたマウスの腹腔内または腫瘍内部に，セントジョンズワートの成分である天然の光感作物質ヒペリシン5mg/kgを注入し，その2時間後に局所的にレーザー光を照射して，光線力学的療法（PDT）を施したところ，ヒペリシンを用いてPDTを施したグループで，腫瘍の大きさが1/5以下に顕著に小さくなったことから，ヒペリシンを用いることでPDTに対して良好な反応を示し，深さが3mm以下の処理部位では腫瘍の完全な消失が観察されたと報告しています[4]．一方，ヒペリシンの注入部位で，マウス生存率に大きな差は観察されませんでした[4]．これより，光感受性物質としてヒペリシンを局所的に用いたPDTは，顕著な抗がん作用を示し，マウス生存率を増加させることが確認されています．

文献

1) Linde K et al.：St John's wort for major depression. Cochrane Database Syst Rev, 4：CD000448, 2008.
2) Hypericum Depression Trial Study Group：Effect of Hypericum perforatum (St John's wort) in major depressive disorder：a randomized controlled trial. JAMA, 287：1807-1814, 2002.
3) Hunt EJ et al.：Effect of St. John's wort on free radical production. Life Sci, 69：181-190, 2001.
4) Cavarga I et al.：Photodynamic therapy of murine fibrosarcoma with topical and systemic administration of hypericin. Phytomedicine, 8：325-330, 2001.

🌱 ダンディライオン 🌱

　ダンディライオンは繁殖力が強いため，世界各地で野生または栽培されており，歴史的にも各地の伝統医学で自然薬（ナチュラルメディスン）として活用されています．インドのアーユルヴェーダやアラビアのユナニ医学では，肝臓や胆嚢の不調，リウマチなどの体質改善に用いられており，北アメリカの先住民であるイロコイ族は，腎臓病や水腫，皮膚病に用いてきました．わが国でもダンディライオンの根は，生薬として苦味健胃薬や，利胆，緩下，催乳の目的で用いられてきた歴史があります．ダンディライオンの根を軽くローストしていれたハーブティーは，「ノンカフェインのヘルシーコーヒー」として"タンポポコーヒー"の名で親しまれ，自然食レストランの定番メニューになっています．なお，メディカルハーブとしてダンディライオンの葉部を使用することがありますが，葉部はカリウムを豊富に含むため（乾燥した葉の4％程度），利尿を目的に用いられます．

- 学　名　　*Taraxacum officinale*
- 英　名　　Dandelion
- 和　名　　西洋タンポポ
- 科　名　　キク科
- 使用部位　根部
- 含有成分　炭水化物（イヌリン：春季2％，秋季40％），フィトステロール（タラキサステロール），苦味質（タラキサシン），フェノール酸（カフェ酸），ミネラル（カリウム，カルシウム），その他
- 作　用　　強肝，利胆，緩下，利尿，浄血，催乳
- 適　応　　肝胆系の不調，便秘，消化不良，リウマチ
- 服用法　　本品ティースプーン山盛り1杯（約3〜4g）に熱湯150mLを注ぎ，フタをして10分間抽出したものを1日3回服用します．
- 注　意　　①胆道閉鎖，胆嚢炎，腸閉塞には禁忌．副作用として胃酸過多による不快感の可能性（苦味質によるもの）があります．
　　　　　　②チコリ（*Cichorium intybus*）の根の混入に注意します．
- 安全性　　メディカルハーブ安全性ハンドブック：2d（胆道閉鎖，重篤な胆嚢炎，腸閉塞に禁忌）
- 関連情報　地上部はカロテノイドやカリウムを豊富に含み，食欲増進や利尿の目的で用いられます．

メディカルハーブの有用性

❶脂質異常症の改善効果と抗酸化作用

　過度の酸化ストレスは，アテローム性動脈硬化を引き起こしやすいことが知られてきましたが，Choiらは高コレステロールウサギに対して，ダンディライオンの根部，葉部がどのような効果を示すかを調べました．28匹の雄ウサギを4群に分けて，正常食餌のコントロール群，高コレステロール食餌を摂る群，高コレステロール食＋ダンディライオン葉部1％を摂る群，高コレス

テロール食餌＋ダンディライオン根部1％を摂る群としました．これらの食餌を一定期間摂ったあと，血漿中の抗酸化酵素の活性や脂肪の量について調べた結果，ダンディライオン根部および葉部を同時に摂った群では，血漿中の抗酸化酵素の活性が低下し，さらに脂肪量についても低下がみられたと報告していて[1]，ダンディライオンが抗酸化作用を有し，脂質異常症を緩和する可能性があることが示唆されています．

❷ 利尿作用

Clareらは，ボランティアの被験者17人を対象として，ダンディライオン葉部のエタノールエキスを用いて，尿の頻度と尿量に変化があるかを調べました．ダンディライオンを服用する前2日間の尿頻度および尿量を基準として，ダンディライオン服用による変化を追ったところ，最初の服用5時間後にはすべての被験者において尿頻度が増し，2回目の服用5時間後には尿量の増加が確認され，最後（3回目）の服用後には大きな変化はみられなかったと報告しています[2]．これより，ダンディライオン葉部エタノールエキスは，尿の頻度や尿量を増やし，利尿作用を有することが示唆されています．

❸ 抗がん作用

ダンディライオンはがんをはじめいくつかの症状緩和に有効であるとされ，中医学，アラブ医学，ネイティブアメリカンの伝承薬として用いられてきました．Sigstedtらは，ダンディライオンの葉部，花部，根部のそれぞれの水溶性エキスが，がん細胞の増殖にどのように影響を与えるか，MCF-7/AZ乳がん細胞を用いて調べました．その結果，葉部エキスにおいてがん細胞の増殖を抑制することが確認され，さらなる検証の結果，ダンディライオン根部エキスは，MCF-7/AZ乳がん細胞の浸潤を阻害することが確認されたと報告しています[3]．これより，ダンディライオンは抗がん作用を有することが示唆されています．

文献

1) Choi UK et al.：Hypolipidemic and antioxidant effects of dandelion (*Taraxacum officinale*) root and leaf on cholesterol-fed rabbits. Int J Mol Sci, 11：67-78, 2010.
2) Clare BA et al.：The diuretic effect in human subjects of an extract of *Taraxacum officinale* folium over a single day. J Altern Complement Med, 15：929-934, 2009.
3) Sigstedt SC et al.：Evaluation of aqueous extracts of *Taraxacum officinale* on growth and invasion of breast and prostate cancer cells. Int J Oncol, 32：1085-1090, 2008.

❦ ネトル ❦

　ヘモグロビンに構造が類似したクロロフィルを豊富に含むネトルは，古くから浄血と造血の目的で用いられてきたという歴史があります．浄血の目的ではアトピーや花粉症，リウマチなどのアレルギー疾患に用いられ，ドイツなどでは春先のアレルギーやニキビ，じん麻疹の予防に，春季療法としてハーブティーや圧搾液，それにホメオパシー製剤などで内用されます．またフラボノイド類やカリウム，ケイ素を豊富に含み，体内の老廃物や尿酸を排泄する利尿作用が強く，痛風や尿砂，それに尿道炎などの泌尿器系の感染症に茶剤として用いられます．さらに鉄分やビタミンC，葉酸などを含み，造血の目的で貧血に用いられ，妊婦さんや授乳婦さんにも勧められます．止血や組織修復の目的で鼻血や痔疾，皮膚の炎症にパウダー剤（粉末剤）や湿布で用いられたり，育毛の目的でローズマリー（*Rosmarinus officinalis*）と併用されることもあります．ネトルの根は多糖類やフィトステロールを含み，良性の前立腺肥大による排尿痛や頻尿，残尿感などの症状を緩和するために用いられます．

- 学　名　*Urtica dioica*
- 英　名　Nettle, Stinging nettle
- 和　名　西洋イラクサ
- 科　名　イラクサ科
- 使用部位　葉部
- 含有成分　フラボノイド（クエルセチン），フラボノイド配糖体（ルチン），クロロフィル1.0〜2.7％，フィトステロール（β-シトステロールなど），βカロテン，ビタミンC，葉酸，ミネラル（ケイ酸，カルシウム，カリウム，鉄）20％まで，刺毛にアミン類（ヒスタミン，セロトニン，コリン）
- 作　用　利尿，浄血，造血
- 適　応　リウマチ，花粉症，アトピーなどのアレルギー疾患，痛風，尿道炎，外用で創傷，整肌，育毛など
- 服用法　本品ティースプーン山盛り3〜4杯（約4g）に熱湯150mLを注ぎ，フタをして10分間抽出したものを1日3回服用します．
- 注　意　心臓および腎臓の機能低下による浮腫がある場合は，洗浄療法は行いません．
- 安全性　メディカルハーブ安全性ハンドブック：クラス1

メディカルハーブの有用性

❶インスリン非依存性の糖尿病ラットに対する効用

　Bnouhamらは，モロッコでよく用いられるネトルを含む4種のハーブ（ツツジ科イチゴノキ，セリ科アムモイデス，ジンチョウゲ科サイメリア，イラクサ科ネトル）の水溶性エキスについて，それらが糖尿病に対して効能を示すかを検証することを目的とし，ストレプトゾトシンで糖尿病を誘発した糖尿病モデルラットに，各々のハーブ水溶性エキス（1Lに各々400mg）により5週間のケアを行った結果，どのハーブも糖尿病治療薬であるトルブタミド同様に，血中のグルコースレ

D. 主要メディカルハーブ12種のモノグラフ

ベルが低下することが確認され，また，耐糖能検査において，グルコース投与30分前に，各々のハーブを投与したところ，ネトルとアムモイデスにおいて，グルコース投与1時間後にインスリンの分泌を促す血中グリセミア値の顕著な低下がみられたと報告しています[1]．またラットの片側横隔膜細胞に，これらのハーブエキスとインスリンを併せて用いたところ，どのハーブエキスもグルコース利用率を増大させたことから，この4種のハーブについて抗糖尿病作用を有することが示唆されています[1]．

❷ 脂質異常症マウスの症状改善効果

Nassiri-Aslらは，マウスを4週間高コレステロール食を摂りながらネトルエキス（100または300mg/kg）を服用する群と，ポジティブコントロールとして血中コレステロールを低下させるロバスタチンを服用する群に分け，血漿中の脂肪値，肝機能を反映する肝酵素活性，肝臓の病理組織所見によって，ネトルの効果を比較したところ，ネトルエキスを服用した群では服用量に関係なく総コレステロール値，LDLコレステロール値，肝酵素活性および体重についても低減することが確認されたと報告しています[2]．また脂質異常症ラットの肝臓細胞病理組織所見では，ネトル100mg/kgにより，ポジティブコントロールのロバスタチン同様の結果となり，脂肪肝，炎症はみられなかったことから，ネトルエキスは脂質異常症の症状改善効果を有することが示唆されています[2]．

❸ リウマチ治療に用いられる NF-κB 活性阻害作用

関節リウマチなどのような慢性的な炎症性疾患においては，炎症に関与する多くの遺伝子発現を促進する転写因子NF-κBの活性上昇が確認されています．自己免疫疾患では，自分の身体の一部を免疫的に敵とみなして攻撃するため，本来免疫機能として生体組織に有害な刺激が侵入または形成された際に起こる炎症反応が，慢性的にみられた状態となります．関節リウマチでは関節滑液において，免疫機能に関与する生理活性因子サイトカイン，とくに腫瘍壊死因子（TNF）の活性増大が観察されています．NF-κBは，DNAからRNAへの遺伝情報の転写の効率を調節する転写調節因子の1つであり，TNFの産生に関与していると考えられています．ネトルエキスは，関節リウマチの抗炎症治療に用いられますが，Riehemannらがその作用メカニズムについて調べたところ，ネトルエキスで処理したいくつかの細胞群において，NF-κB活性が阻害されたことが観察され，さらにその阻害効果は，DNAバインディングへの直接的な調節を介しているのではなく，NF-κB作用経路を抑制しているものであることが示唆されました[3]．

文 献

1) Bnouham M et al.：Antidiabetic effect of some medicinal plants of Oriental Morocco in neonatal non-insulin-dependent diabetes mellitus rats. Hum Exp Toxicol, 29：865-871, 2010.
2) Nassiri-Asl M et al.：Effects of Urtica dioica extract on lipid profile in hypercholesterolemic rats. Zhong Xi Yi Jie He Xue Bao, 7：428-433, 2009.
3) Richemann K et al.：Plant extracts from stinging nettle (*Urtica dioica*), an antirheumatic remedy, inhibit the proinflammatory transcription factor NF-kappaB. FEBS Lett, 442：89-94, 1999.

🌱 ハイビスカス 🌱

　フランスでカルカーデ (karkade) と呼ばれるハイビスカス (ロゼル草) の語源は，古代エジプトの美の神ヒビスに由来するといわれています．現在ではエジプトやスーダンのほかに中国などでも栽培されており，さわやかな酸味と鮮やかなルビー色のハイビスカスティーは，世界中で女性の人気を博しています．ハイビスカスティーの名を一躍世に広めたのは，東京オリンピックの際にマラソンの王者アベベ選手やドイツの選手団がハイビスカスティーを天然のスポーツドリンクとして試合中に飲み，見事に金メダルを獲得したことによります．その秘密は酸味のもとであるクエン酸や，ハイビスカス酸などの植物酸やミネラルが体内のエネルギー代謝と新陳代謝を高め，スポーツによる肉体疲労を回復させることにあります．天然のビタミンCを豊富に含むローズヒップとのブレンドは栄養補給や美容効果を高め，またハイビスカスの鋭い酸味をまろやかに変えて飲みやすくすることからも，最適のブレンドといえるでしょう．

- 学　　名　　*Hibiscus sabdariffa*
- 英　　名　　Red Sorrel
- 科　　名　　アオイ科
- 使用部位　　がく部
- 含有成分　　植物酸15〜30％（クエン酸，リンゴ酸，ハイビスカス酸），アントシアニン色素1.5％（ヒビスシンなど），粘液質，ペクチン，ミネラル（鉄，カリウム）
- 作　　用　　代謝促進，消化機能促進，緩下，利尿
- 適　　応　　肉体疲労，眼精疲労，食欲不振，便秘，かぜ，上気道カタル，循環不良
- 服用法　　　本品ティースプーン山盛り1杯（約2.5g）に熱湯150mLを注ぎ，フタをして5〜10分間抽出したものを服用します．
- 注　　意　　特になし
- 安全性　　　メディカルハーブ安全性ハンドブック：クラス1

メディカルハーブの有用性

❶ 正常高値血圧および軽度高血圧における血圧降下作用

　McKayらは，降下薬を服用していない正常高値血圧および軽度高血圧の65人（30〜70歳）を対象とした二重盲検・無作為化比較試験により，ハイビスカスティーの血圧降下作用について検討しました．被験者は1日240mLのハイビスカスティーまたはプラセボを6週間服用し，標準的な方法で血圧の変化をみました．6週間後，ハイビスカスティーの服用はプラセボと比較して，収縮期血圧を有意に低下させましたが，拡張期血圧の低下についてはプラセボとの有意な差はみられませんでした．また動脈圧の平均値はプラセボと比較して有意差の有無の境界にありましたが，収縮期血圧が，より高い群では，ハイビスカスティーでの血圧降下作用がより顕著に現れたと報告しています[1]．これより，ダイエットによいとされる用量で毎日ハイビスカスティー

を摂ることにより，高血圧予備軍および軽度高血圧の患者さんの収縮期血圧が低下することが認められ，ハイビスカスティーに血圧降下作用があることが示唆されています．

❷シグナル伝達系PI3-KおよびMAPK経路に関与した脂肪生成阻害効果

Kimらは，脂肪合成転写因子や細胞でのシグナル伝達で重要なホスファチジルイノシトール3キナーゼ（PI3キナーゼ；PI3-K）経路と，分裂促進因子活性化タンパク質キナーゼ（MAPキナーゼ；MAPK）経路に，ハイビスカスがどのように作用して脂肪細胞分化を阻害するのか，そのメカニズムを検討しました．MDIにより3T3-L1細胞の脂肪細胞分化を誘発し，ハイビスカス乾燥花の熱湯による抽出物をフリーズドライ化パウダーにして緩衝液に溶解し，3T3-L1細胞に2日おきに付与した培養8日目に，脂肪生成マーカーの発現および細胞質脂肪滴の蓄積を観察して，脂肪細胞分化の様子を解析した結果，ハイビスカスは，MDIにより誘起される細胞質脂肪滴の蓄積を濃度依存的に顕著に阻害し，脂肪合成転写因子のmRNAの発現を顕著に減衰することが確認されました．また，脂肪細胞分化に関与するPI3-K/Akt系（PI3-K経路の1つ）や，脂肪生成の初期段階を調節することが知られているMEK-1/ERK系（MAPK経路の1つ）の活性およびそれらによるタンパク質リン酸化が明らかに阻害されたと報告しています[2]．この結果から，ハイビスカスは，脂肪細胞分化を遺伝子発現レベルで阻害するとともに，脂肪生成に関するシグナル伝達の中心的役割を担うPI3-K/AktおよびERK系を調節することにより，脂肪細胞への分化を阻害することが示唆されています．

❸3T3-L1前駆脂肪細胞の脂肪滴蓄積と脂肪合成転写因子の発現阻害

Kimらは，ハイビスカスが脂肪細胞分化に及ぼす影響について，前駆脂肪細胞培養株3T3-L1を用いて検討していて，パウダー状にした乾燥ハイビスカスの花部を純水で室温一昼夜浸出して得たエキスを，分化を誘発するインスリンとともに3T3-L1細胞に0〜100μg/mLの濃度で付与し，36時間培養して観察したところ，ハイビスカスエキスは，インスリン，デキサメタゾン，イソブチルメチルキサンチンの混合物によって誘発された3T3-L1細胞の脂肪細胞分化を濃度依存的に阻害し，細胞内トリグリセリド含有量は，ハイビスカスエキス100μg/mL付与により，付与しない場合の含有量の27.6%を示しました．また，分化誘発時にハイビスカスエキスを付与して4日間観察したところ，細胞質脂肪滴の蓄積を顕著に阻害し，さらにC/EBPαやPPARγを含む脂肪合成転写因子の発現を減衰させたと報告していて[3]，ハイビスカスエキスは，脂肪細胞分化を遺伝子発現レベルで阻害することが示唆されています．

文献

1) McKay D et al.：*Hibiscus sabdariffa* L. tea (tisane) lowers blood pressure in prehypertensive and mildly hypertensive adults. J Nutr, 140：298-303, 2010.
2) Kim JK et al.：*Hibiscus sabdariffa* L. water extract inhibits the adipocyte differentiation through the PI3-K and MAPK pathway. J Ethnopharmacol, 114：260-267, 2007.
3) Kim MS et al.：Hibiscus extract inhibits the lipid droplet accumulation and adipogenic transcription factors expression of 3T3-L1 preadipocytes. J Altern Complement Med, 9：499-504, 2003.

パッションフラワー

　パッションフラワーは直訳すると「受難の花」となりますが，アメリカの先住民であるチェロキー族やメキシコのアステカ族が用いた歴史が残されています．向精神性ハーブに分類されますが，作用が穏やかであるため小児や高齢者，更年期の女性などにも安心して処方できる「植物性の精神安定薬（トランキライザー）」として知られています．科学的研究によれば，精神的な緊張やそれに伴う不眠を改善し，自発性の運動や神経性の頻脈を抑えます．また痛みの領域にも用いられ，頭痛・歯痛・月経痛などの激しい痛みを和らげます．パッションフラワーによる効果のメカニズムは完全に解明されていませんが，ハルマンなどのインドールアルカロイドや，ビテキシンや，アピゲニンなどのフラボノイド類の複合効果と考えられます．パッションフラワーは単独でも用いられますが，ドイツでは精神安定や不眠にレモンバーム（*Mellisa officinalis*）やバレリアン（*Valeriana officinalis*）とブレンドして，またマイルドな強心薬としてホーソン（*Crategue monogyna*）とブレンドして用いられます．

- 学　名　*Passiflora incarnata*
- 英　名　Passionflower, Maypop
- 和　名　チャボトケイソウ
- 科　名　トケイソウ科
- 使用部位　地上部の全草
- 含有成分　フラボノイド（アピゲニン），フラボノイド配糖体（ビテキシン），インドールアルカロイド 0.01～0.09％（ハルマン，ハルモール），青酸配糖体 0.01％（ジノカルディン）
- 作　用　（中枢性の）鎮静，鎮痙
- 適　応　精神不安，神経症，心身の緊張およびそれに伴う不眠，過敏性腸症候群，高血圧
- 服用法　本品ティースプーン山盛り1杯（約2～3g）に熱湯150mLを注ぎ，フタをして10分間抽出したものを1日2～3回と就寝30分前に服用します．
- 注　意　特になし
- 安全性　メディカルハーブ安全性ハンドブック：クラス1
- 関連情報　①本品はバレリアン（*Valeriana officinalis*）など鎮静系ハーブとブレンドとして用いられることが多くあります．
②食用とされているパッションフルーツはクダモノトケイ（*Passiflora edulis*）の果実であり，本品とは異なります．

メディカルハーブの有用性

❶ 高架式十字迷路試験による抗不安作用の検証

　Grundmannらは，パッションフラワーのエタノールエキスが抗不安作用を有するかを，マウスを用いた高架式十字迷路試験により調べました．マウスに3つの濃度のパッションフラワーエキス，または抗不安薬であるジアゼパムを経口投与したところ，不安水準が低下するとみられるオープンアームへの侵入の回数は，パッションフラワーエキス375mg/kgの投与により，ジア

ゼパム同様に顕著に増加しましたが，150mg/kgおよび600mg/kgの投与では効果がみられず，U型の濃度応答曲線を描いたと報告しています[1]．この結果より，パッションフラワーのエタノールエキスは抗不安作用を有することが示唆され，さらにGABA$_A$-ベンゾジアゼピン受容体拮抗薬であるフルマゼニルと，5-HT$_{1A}$受容体拮抗薬であるWAY-100635により作用メカニズムを調べたところ，フルマゼニルによりパッションフラワーエキスの効果が妨げられたことから，パッションフラワーの抗不安作用はGABAを介したものであることが示唆されました[1]．

❷ 抗酸化作用

パッションフラワーの浸剤およびエタノールエキスの抗酸化活性について，代表的な分光学的抗酸化活性測定法であるDPPH法およびABTS法を用いて調べたMasteikovaらの報告によると，パッションフラワーをエタノール抽出したチンキ剤のほうが，水抽出の浸剤に比べて大きな抗酸化活性を示し，抗酸化活性は，クロロゲン酸，ヒペロシド，イソビテキシンなどのフラボノイド成分への濃度依存性を示しました．これより，パッションフラワーは鎮静作用だけでなく，抗酸化作用を有することが示唆されています．

❸ 外来手術患者さんの不安に対する効果

手術前には多くの患者さんが不安を覚えるため，心身への影響が少ない抗不安薬が求められています．Movafeghらは，60人の外来手術患者さんを対象に，パッションフラワーの不安軽減効果についての無作為化比較試験を行いました．パッションフラワー群とプラセボ群の2群に分けて，手術の90分前にパッションフラワー500mgまたはプラセボを服用させ，服用前と服用後10，30，60，90分に，数値評価尺度 numerical rating scale (NRS) により不安の度合いを調べました．精神運動機能に影響するかどうかは，手術室到着時と麻酔後抜管30分後，60分後にTrieger Dot Test (TDT) およびDigit Symbol Substitution Test (DSST) によって調べられました．NRS不安スコアはパッションフラワー群で顕著に低下，不安軽減の効果を示し，手術後の精神運動機能の回復については2群間での差はみられなかったと報告しています[3]．これより，パッションフラワーを手術前に服用することは，精神運動機能への影響を受けることなく，手術での不安を軽減することが示唆されています．

文献

1) Grundmann O et al.：Anxiolytic activity of a phytochemically characterized *Passiflora incarnata* extract is mediated via the GABAergic system. Planta Med, 74：1769-1773, 2008.
2) Masteikova R et al.：Antiradical activities of the extract of *Passiflora incarnata*. Acta Pol Pharm, 65：577-583, 2008.
3) Movafegh A et al.：Preoperative oral *Passiflora incarnata* reduces anxiety in ambulatory surgery patients：a double-blind, placebo-controlled study. Anesth Analg, 106：1728-1732, 2008.

ペパーミント

　ペパーミントのさわやかなメントールの香りは，中枢神経を刺激して眠けを吹き飛ばし，脳の働きを活性化します．またペパーミントティーは古くから，食べすぎ，飲みすぎ，食欲不振，胃痛などに用いられてきました．科学的研究によるとペパーミントの精油は平滑筋に直接的に作用し，カルシウムイオンの調整を行って局所に鎮痙作用を発揮することが報告されています．このため鼓腸や過敏性腸症候群にも適用されます．また精油には，大腸菌や黄色ブドウ球菌に対する抗菌作用も確認されており，消化不良や吐き気にも用いられます．ペパーミントティーは胃腸だけでなく，肝臓や胆嚢の働きも促し，また清涼感にあふれる風味を利用してブレンドの素材としても多用されます．ドイツでは小児科で，胃の不調にペパーミント67％，ジャーマンカモミール (*Matricaria chamomilla*) 33％の割合で配合されたブレンドティーが処方されています．なお，精油はリウマチや筋肉痛に外用で用いられ，緊張型の頭痛にはエタノールのチンキ剤を外用で用いる例もあります．

- 学　名　　*Mentha piperita*
- 英　名　　Peppermint
- 和　名　　西洋ハッカ
- 科　名　　シソ科
- 使用部位　葉部
- 含有成分　精油0.5～4％（*l*-メントール30～55％，メントン，メントフラン），フラボノイド（アピゲニン，ルテオリン），シソ科タンニン3.5～4.5％，フェノール酸7％まで（カフェ酸，クロロゲン酸，ロスマリン酸）
- 作　用　　賦活（のち鎮静），鎮痙，駆風，利胆
- 適　応　　眠気・集中力欠如などの精神神経症状，腹部膨満感，鼓腸，食欲不振，過敏性腸症候群
- 服用法　　本品食サジ山盛り1～2杯（約2～3g）に熱湯150mLを注ぎ，フタをして5～10分間抽出したものを1日3回服用します．
- 注　意　　胆石には禁忌
- 安全性　　メディカルハーブ安全性ハンドブック：クラス1
- 関連情報　①スペアミント（*Mentha spicata*）の精油成分は*l*-カルボンが主であり，*l*-メントールは含みません．したがって，健胃・駆風の目的ではペパーミントの代用として使用可能ですが，利胆や精神神経症状に代用することはできません．
　　　　　　②第七改正日本薬局方（1962年）には，健胃，駆風剤として収載され，常用量1回3g，1日10gと記載されています．

メディカルハーブの有用性

❶乳がん患者さんのほてりへの効果

　乳がん治療を行っている患者さんは，ほてりに悩まされることが多く，水スプレーや拭き取りにより皮膚温度を下げることがしばしば推奨されています．Dyerらは，ペパーミントの芳香蒸

留水スプレーと，ネロリの芳香蒸留水をスプレーすることで，ほてりを解消する効果について，一重盲検・無作為化比較クロスオーバー試験により検討したところ，44人の患者さんのうち，41％が通常の水スプレーより芳香蒸留水スプレーを好み，さらにそのように回答した患者さんは，芳香蒸留水スプレーは非常に効果が大きいと受けとめていて，ペパーミント芳香蒸留水，ネロリ芳香蒸留水のどちらも，ほてりによる不快感を解消する効果がみられたと報告しています[1]．

❷歯のバイオフィルム形成阻害作用

バイオフィルムとは，歯周病や虫歯の原因となる細菌と付着性分泌物のことをいいます．Rasooliらは，ペパーミント，ローズマリーの精油と，殺菌消毒薬クロルヘキシジンのStreptococcus mutansとStreptococcus pyogenesに対する抗菌作用，およびバイオフィルム形成阻害作用について調べていて，抗菌作用についてはS. mutansに対してクロルヘキシジンが最大の効果を示し，S. pyogenesに対してはペパーミント油が最大の効果を示したと報告しています[2]．またバイオフィルム形成阻害効果は，ペパーミント油がもっとも大きく，次いでローズマリー油，クロルヘキシジンの順でした．この結果より，歯周病や虫歯の予防にペパーミントを有効的に活用できることが示唆されています．

❸アレルギー性鼻炎の症状緩和効果

Inoueらは，ラットのアレルギー性鼻炎に対して，ペパーミントの葉からの抽出物が効果を示すかを調べました．薬剤を用いて実験的にヒスタミンの放出を誘発したラット腹膜の細胞に，ペパーミント葉から水蒸気蒸留により精油を取り除いたあとに50％エタノールで抽出したペパーミントエキスを作用させたところ，ヒスタミンの放出を阻害しました．この効果は濃度依存的であり，3μg/mLの濃度で明らかな阻害効果が観察されました．さらに，このペパーミントエキスを50％エタノールに溶かしてヘキサンにより脂質を除去したあと，クロマトグラフィーによって精製した抽出液（以下，精製ペパーミントエキス）も，1μg/mLの濃度において，同様にヒスタミンの放出を阻害する作用がみられました．また抗原によってくしゃみや鼻をこすったりするような鼻アレルギー症状を誘発して，精製ペパーミントエキスを300mg/kgおよび1,000mg/kgの割合で服用させたところ，どちらの服用量においてもこれらの症状が明らかに緩和されたと報告しています[3]．これより，ペパーミントエキスはアレルギー性鼻炎の諸症状に効果があることが示唆されています．

文献

1) Dyer J et al.：A study to look at the effects of a hydrolat spray on hot flushes in women being treated for breast cancer. Complement Ther Clin Pract, 14：273-279, 2008.
2) Rasooli I et al.：Phytotherapeutic prevention of dental biofilm formation. Phytother Res, 22：1162-1167, 2008.
3) Inoue T et al.：Effects of peppermint (*Mentha piperita* L.) extracts on experimental allergic rhinitis in rats. Biol Pharm Bull, 24：92-95, 2001.

マルベリー

　マルベリーの学名 *Morus* はケルト語の「黒」に由来し，完熟した紫黒色の実は昔から世界各地で生食され，ジャムや果実酒の原料として用いられてきました．またマルベリーは年に3～4回，多いときには6回も収穫が可能なほど生命力に富み，カイコが食する唯一の植物として養蚕による絹の生産を支えてきました．鎌倉時代には栄西禅師が「喫茶養生記」で桑の葉を取り上げ，飲水病（現在の糖尿病）に飲用を勧めています．桑の根皮は桑白皮として日本薬局方に収載され，去痰や降圧に用いられます．桑の葉に含まれているデオキシノジリマイシン（DNJ）は，二糖類分解酵素であるα-グルコシダーゼの働きを阻害し，食後の血糖上昇を抑制するため，糖尿病をはじめとする生活習慣病の予防に活用されています．なお，小腸で吸収を抑制され大腸に運ばれた糖質は，腸内細菌によって分解され，乳酸や酢酸などの有機酸を生成するため，腸内環境を改善して整腸作用をもたらします．

- 学　名　　*Morus alba*
- 英　名　　Mulberry
- 和　名　　クワ
- 科　名　　クワ科
- 使用部位　葉部
- 含有成分　デオキシノジリマイシン（DNJ）0.1～0.2％，γ-アミノ酪酸，クロロフィル0.6％，フィトステロール（シトステロール），ミネラル（鉄，カルシウム，亜鉛）
- 作　用　　α-グルコシダーゼ阻害による血糖調整
- 適　応　　糖尿病・肥満などの生活習慣病予防
- 服用法　　本品ティースプーン山盛り1杯（3g）に熱湯150mLを注ぎ，フタをして5分間抽出したものを食前に服用します．
- 注　意　　副作用としてまれに腹部膨満感
- 安全性　　メディカルハーブ安全性ハンドブック：クラス1

メディカルハーブの有用性

❶ 免疫賦活作用

　Bharaniらは，マルベリーの免疫賦活作用を調べるため，マルベリー葉部のメタノール抽出物を低用量100mg/kgと高用量1g/kgの2種類としてマウスに経口投与しました．標準的に用いられる免疫賦活薬として，ホーリーバジル（シソ科）100mg/kgを経口投与して効果を比較したところ，どちらの用量のマルベリーもマウスの血清イムノグロブリンのレベルを高め，仔ウシのグラム陰性小球桿菌 *Pasteurella multocida* によって引き起こされる死亡を防ぐという結果となりました．また，免疫力の指標となる，間接的赤血球凝集反応テストにおいて循環抗体の力価を高め，さらには血液に入ったカーボン（異物）が半減する時間を指標に，異物を処理する免疫力を測るカーボンクリアランス法での食作用係数を増大させました．それに加えて，免疫抑制薬シ

D. 主要メディカルハーブ12種のモノグラフ

クロホスファミドによって好中球減少症が引き起こされるのを防ぎ，好中球付着テストによる好中球の付着を増大させたとの報告から，マルベリーの服用により，免疫機能の賦活化が示唆されています[1]．

❷ 食後血糖値上昇抑制の効果

マルベリー葉部抽出物は血糖値の上昇を抑制することが報告されていますが，Nakamuraらは，甘味菓子にマルベリーエキスを含有させることによって，食後血糖値の上昇が抑制されるかを，抑制される場合には，甘味菓子のショ糖の量とマルベリーエキス量の割合はどのくらいが効果的かを，健常な成人女性10人（平均年齢22.3歳，BMI 21.4）を対象に調べました．被験者には，マルベリーエキスとともにショ糖や炭水化物を含む三種類の甘味菓子，水ようかん，大福餅，シフォンケーキが与えられました．これらの菓子は含むショ糖の量が異なり，そのショ糖の量とマルベリーエキス量の割合をいくつか用意し，マルベリーの血糖上昇抑制効果について調べたところ，甘味菓子が，ショ糖30gとマルベリーエキス1.2または3.0gを含む水ようかん，大福餅の場合に食後血糖値やインスリンレベルの上昇抑制が顕著だったことから，もっとも効果的なマルベリーとショ糖の比率は，およそ1：10であることが示唆され，このような構成の甘味菓子を作ることにより，食後の血糖値上昇を抑制し，糖尿病を予防，または糖尿病患者さんのQOLを向上させることに役立つ可能性が示唆されています[2]．

❸ 抗肥満作用とそのメカニズム

マルベリーのエタノール抽出物が，摂食行動と関係があり食欲を誘起するとされるメラニン凝集ホルモンの受容体1（MCH1R）の拮抗薬として働くことにより，肥満を予防する効果をもつかについて，Ohらは，肥満モデルのマウスを用いて調べました．またマルベリーエキスとMCH1Rの結合アフィニティも調べられ，マルベリーエキスはMCH1Rへの結合によりその活性を阻害する作用がみられ，2.3±1.0μg/mLでIC50となり，さらに10〜100μg/mLのマルベリーエキスは，細胞内のカルシウムの動態を抑制することが明らかとなりました．また抗肥満作用については，肥満モデルマウスを対象に32日間連続してマルベリーエキスを経口投与したところ，体重が減少，肝臓での脂肪蓄積が抑制されたことが明らかとなったという報告から，マルベリーエキスの経口投与により，肥満モデルマウスで，抗肥満作用を有することが示唆され，これはマルベリーエキスがMCH1Rへ結合することで，食欲が調整されることによると考えられています[3]．

文献

1) Bharani SE et al.：Immunomodulatory activity of methanolic extract of *Morus alba* Linn. (mulberry) leaves. Pak J Pharm Sci, 23：63-68, 2010.
2) Nakamura M et al.：Suppressive response of confections containing the extractive from leaves of *Morus alba* on postprandial blood glucose and insulin in healthy human subjects. Nutr Metab (Lond), 6：29, 2009.
3) Oh KS et al.：Melanin-concentrating hormone-1 receptor antagonism and anti-obesity effects of ethanolic extract from *Morus alba* leaves in diet-induced obese mice. J Ethnopharmacol. 122：216-220, 2009.

🌱 ローズヒップ 🌱

　ローズヒップは，ローズの偽果から一般に種子といわれる果実（小堅果）や白毛を十分に取り除き乾燥したものです．この白毛が皮膚につくと，まれにかゆみを生じます．カニナ種のローズが「ドックローズ」と呼ばれるのは，その昔，狂犬病の犬に咬まれた際に用いられたためとされています．ローズヒップはレモンの20〜40倍のビタミンCや，フラボノイド，ペクチン，果実酸，ビタミンE，タンニンなどを含み，偽果の赤い色はリコピンやβカロテンなどのカロテノイド色素です．このため，ローズヒップはビタミンCの補給や緩和な利尿作用，それにペクチンや果実酸による緩下作用を目的に用いられます．ビタミンCはコラーゲンの生成にも関与するので，シミやしわの予防にハイビスカスとブレンドして美容茶としたり，発熱時の口渇に茶剤を冷やして服用すると効果的です．ローズヒップ油（圧搾油）の脂肪酸組成は，リノール酸（44%）やαリノレン酸（36%）などの必須脂肪酸に富み，組織の損傷や瘢痕の修復に外用で用いられます．

- 学　名　*Rosa canina*
- 英　名　Rose hip
- 科　名　バラ科
- 使用部位　偽果
- 含有成分　ビタミンC 1.7%まで，ペクチン，果実酸，カロテノイド（リコピン，βカロテン），フラボノイド
- 作　用　ビタミンC補給，緩下
- 適　応　炎症や発熱など，ビタミンC消耗時の治療補助，インフルエンザなどの感染症予防，便秘
- 服用法　細切した本品をティースプーン山盛り1杯（3g）に熱湯150mLを注ぎ，フタをして10〜15分間抽出したものを1日3回服用します．
- 注　意　特になし
- 安全性　メディカルハーブ安全性ハンドブック：クラス1

メディカルハーブの有用性

❶ 抗酸化作用

　Egeaらは，南ヨーロッパに自生する数種類の果実を対象に，その抗酸化作用について，ヒドロキシラジカルや過酸化水素，そしてトロロックス当量を指標にして調べました．果実のもつ，フェノール類，ビタミンC，カロテノイド含有量についても調べられ，どの果実もラジカルスカベンジャーとしての働きを示し，とくにローズヒップとホーソンについては作用が大きかった（60.61〜81.04%）と報告しています[1]．また過酸化水素除去能とトロロックス当量については大きな幅をみせましたが，人工の酸化防止剤に比べて果実のほうがより高い抗酸化作用を示したため，ローズヒップのフェノール類，カロテノイド，そしてビタミンCの含有量は，ほかの果実

に比べてかなり高く，これが抗酸化作用の要因となっていると考えられます[1]．この結果は，ローズヒップが天然の酸化防止剤として，人工の抗酸化剤の代替として用いることができると考えられます．

❷ リウマチ症状の緩和効果

Willichらは，ローズヒップの標準化パウダーが，リウマチ患者さんの症状スコアを下げることができるかについて，二重盲検・無作為化比較試験により検討しました．被験者はローズヒップパウダーのカプセル剤を1日5gとなるように6ヵ月間摂取し，開始6ヵ月後に健康検査問診票 health assessment questionnaire（HAQ）で調査し，リウマチ症状の把握に用いられる28の関節を評価するDAS-28，リウマチ患者さんのQOLを知る検査であるThe validity of the Rheumatoid Arthritis Quality of Life（RAQoL），包括的健康関連QOLであるSF-12を用いて調べた結果，SF-12を除いたどの指標においても，ローズヒップパウダーの服用により症状改善の効果がみられることが示唆されました[2]．これより，ローズヒップを服用することにより，リウマチ症状を緩和できることが示唆されています．

❸ 変形性関節症の症状改善効果

Wintherらは，ローズヒップの標準化パウダーのサプリメントにより，膝や股関節の変形性関節症の症状が改善されるかを評価しました．コペンハーゲン大学病院の外来患者さんのうち，鎮痛薬以外の薬物療法を受けていない94人が被験者となり，半数ずつ2群に無作為に分けられ，クロスオーバー試験が行われ，グループ1は第1期にローズヒップの標準化パウダーを毎日5gずつ3ヵ月間服用，グループ2はプラセボを同様に服用し，その後の第2期には逆パターンの服用を試みました．症状の度合いは，問診形式のWestern Ontario and McMaster Universities Osteoarthritis Index（WOMAC）によって開始3週間後と3ヵ月後に評価され，また開始3週間後に被験者らは，可能であれば鎮痛薬の服用量を減らしてみるようアドバイスされました．WOMACの結果，ローズヒップの服用は，3週間でプラセボと比較して顕著に痛みを軽減し，痛みの軽減を自覚した患者さんの割合もプラセボでの49％に対して82％と顕著に高く，鎮痛薬服用量も，ローズヒップの服用により顕著に少なくなり，また不自由さ，硬直，総合的な苦痛についてのWOMACの結果は，3ヵ月後に顕著に改善したと報告しています[3]．この結果より，ローズヒップの服用は，変形性関節症の症状を改善し，鎮痛薬の服用量減少に繋がることが示唆されています．

文献

1) Egea I et al.：Six edible wild fruits as potential antioxidant additives or nutritional supplements. Plant Foods Hum Nutr, 65：121-129, 2010.
2) Willich SN et al.：Rose hip herbal remedy in patients with rheumatoid arthritis-a randomised controlled trial. Phytomedicine, 17：87-93, 2010.
3) Winther K et al.：A powder made from seeds and shells of a rose-hip subspecies (*Rosa canina*) reduces symptoms of knee and hip osteoarthritis：a randomized, double-blind, placebo-controlled clinical trial. Scand J Rheumatol, 34：302-308, 2005.

4章

症状別の植物療法

A 植物療法を始める(提案する)前に

　一般に，本書で扱う精油やメディカルハーブは作用が緩和であり，経験的にも科学的にも重篤な有害作用が生じるリスクは低いのですが，使用にあたっては次の注意を遵守します．

❶ 材料の準備
　精油，植物油やメディカルハーブなどは100％天然のものを信頼のおける専門店で入手します．食品扱いでないポプリ用のハーブや合成香料の使用は控えます．

❷ 保　存
　精油やメディカルハーブは遮光・密封・冷保存を遵守し，開封後はなるべく早く使い切ります．また，子どもや動物の手の届く所，また引火の危険性がある場所には置かないようにします．

❸ 精油の使用
　精油の飲用は控えます．また，外用で使用する場合は，必ず基剤に希釈して用います．たとえば，マッサージオイルの場合は植物油におおむね1％程度で希釈します．

❹ パッチテスト
　精油を外用で用いる場合に接触皮膚炎を起こすかどうかを調べるため，本人の皮膚でパッチテストを行います．前腕部の内側にマッサージオイルを適量塗布し，24時間または48時間放置して肌にかゆみや炎症などの異常が生じないかどうかを確認します．パッチテストで異常が生じた場合は，その時点で大量の水で洗い流します．

B 症状別のケア

　ここでは，それぞれの疾患やライフステージごとの対処法を「植物療法」，「生活指導」の2つの側面から解説します．まず各症状のはじめに疾患に対する植物療法での捉え方やアプローチの方法を述べ，「植物療法」では精油やメディカルハーブの具体的な活用法を解説し，また，「生活指導」では栄養・運動・休養の3つの側面からライフスタイルの改善を提案しています．植物療法では，ある疾病や症状に対してどの精油やメディカルハーブを使うかということと同程度に，どのような捉え方やアプローチをするかが重要なため，本書はどちらかにかたよった解説ではなく，すべて同じ分量で解説しています．また，一部に誤解があるのですが，植物療法は"奇跡のハーブ"といった「特効薬志向」ではありません．疾病の背景にある生活スタイルを地道に改めることによって，時間をかけて着実な効果を得るというものです．精油やメディカルハーブの機能を十分に働かせるためにも，生活指導が重要になります．

「症状別ケア」で使用する精油やメディカルハーブ

　わが国でも100種を超える精油やメディカルハーブの入手が可能ですが，本書では有効性や安全性の面からWHOの「エッセンシャルドラッグ」の考え方に習って容易に入手可能，かつエビデンスをもつ種類に限って取り上げています．

精油やメディカルハーブの剤形と処方（ブレンド）

　処方（ブレンド）例としてここで紹介する精油やメディカルハーブは，本書の各モノグラフで取りあげるものに絞り，ブレンドも2種までとしました．精油やメディカルハーブは単品であっても多数成分の複合体であり，それ自体が自然のバランスに沿った処方とも考えられます．相乗効果を求めて根拠もなく安易に多種をブレンドすることは，安全性・有効性の面から控えるべきであり，シンプルな処方をめざすべきです．また，軟膏・クリーム剤などは白色軟膏や白色ワセリンなどの局方品をベースに用いたり，市販の乳化剤を用いる方法もありますが，ここではミツロウなどの自然素材を用いることにします．なお，ハーブティーのブレンドでは，2種の場合，全量を3～5gとして比率を同等，あるいは2：1から1：2の間で調整します．

> **バッチ博士の花療法**
>
> イギリスのエドワード・バッチ博士（1886〜1936）によって創始された自然療法で，野生の花を原料に作られたレメディーを用いて，不安や否定的な感情に対処する療法をいいます．本書では「不眠・抑うつ」や「更年期障害」などで使用を勧めています．

1 不眠・抑うつ

　不眠症に対する植物療法は，アロマセラピーの施術によって情動に快い刺激を与え，ストレスによる心身の緊張を解くとともに，鎮静系の向精神性ハーブを内服します．生体リズムの調節は光シグナルを起点として自然のリズムと同調していますが，現代人の生活スタイルは自然のリズムに反しているため，不眠や抑うつが急増しています．生体リズムは生命の本質であり，抑うつなどの生命力の低下に対しては，五感を上手に刺激することが効果的です．イギリスの研究で，病棟にラベンダーの香りを漂わせたところ，睡眠時間が延長したのみならず昼夜のリズムが回復したという報告があります．作用機序は不明ですが，香り刺激はどうやら睡眠の質（クオリティー・オブ・スリープ）を向上させる効果があるようです．軽症うつの治療では，諸外国のガイドラインでも抗うつ薬は第一選択としては必ずしも推奨されているわけではなく，運動や認知行動療法に基づいたセルフヘルプが推奨されています．植物療法の実践によって抗うつ薬の投与が回避できれば，治療の面でも，また医療経済の面でも望ましいことだと思います．

1 ● 植物療法

　不眠や抑うつに用いられる精油の選択は本人の嗜好を優先しますが，おおむねの傾向として入眠障害にはラベンダーやベルガモットが，早期覚醒にはローマンカモミールやネロリがよく用いられます．イランイランや月桃などのエキゾチックな香りも心身の緊張を解くのに有効です．こうした香りを用いて，1日の終わりにややぬるめのアロマバスを楽しむのもよいでしょう．ハーブティーでは，ジャーマンカモミールやリンデンなどの鎮静・鎮痙系のハーブを就寝30分前に香りを楽しみながら服用します．意外にも，ペパーミントは心身をリフレッシュしたあと2次的に鎮静させるので，入眠目的のハーブティーとして活用できます．不安が強い場合はジャーマンカモミールとパッションフラワーのブレンドやレモンバームを用います．サプリメントでは，セロトニンの再取り込みを阻害するセントジョンズワートや，GABAの代謝に関与するバレリアンがよく用いられます．なお，セントジョンズワートは季節性感情障害やマタニティーうつ，更年期のうつなどさまざまなうつに対応できますが，薬物代謝酵素シトクロムP450（CYP）のサブタイプである3A4，1A2などを誘導することが知られているため，それらで代謝される医薬品との薬物相互作用に注意します．心のケアや感情面へのアプローチが必要なケースには，バッチ博士の花療法（前述）も有用です．

...... アロマセラピーの処方例はこのマークで示しています．

芳香剤

- **適　応**：不眠
- **処　方**：ラベンダー精油2滴，またはローマンカモミール精油1滴とベルガモット精油1滴
- **使用法**：電気式の香炉を用いて寝室に香りを漂わせます．ティッシュにたらして枕元に置いてもよいでしょう．

...... メディカルハーブの処方例はこのマークで示しています．

茶剤（浸剤をそのまま飲用する場合）

- **適　応**：軽～中等度のうつ，季節性感情障害，月経前症候群
- **処　方**：セントジョンズワート2g
- **使用法**：コミッションEモノグラフには次のように記載されています．
【1日2～4gを茶剤として服用する】

- **適　応**：不安，心身の緊張，疼痛
- **処　方**：ジャーマンカモミール2g　　パッションフラワー2g
- **使用法**：熱湯200mLで3分間抽出し，茶こしを通します．香りを楽しみながら少量ずつ服用します．

2 生活指導

　不眠の対処としては，眠りを夜だけでなく1日の流れのなかで捉え，日中は運動などで適度に疲労したり，レモンやグレープフルーツ，ローズマリーといった覚醒系の香り刺激を与えるなど工夫します．寝室の温度や明るさ，寝具の素材など睡眠環境に気を配り，精油やハーブを上手に活用してセット（期待感）とセッティング（摂取環境）を整えます．また，生体リズムの同調因子は太陽の光なので，朝起きたら意識的に光を浴びるようにします．気分がふさぎこんでいるときこそ思い切って外出し気分転換をはかります．うつに対しても有酸素運動が有効であるというエビデンスが備わっています．嗜好品については，カフェインの覚醒作用は摂取後30～40分で発現して4～5時間持続し，タバコに含まれるニコチンは交感神経を刺激して入眠を妨げるので，就寝前の摂取は避けたほうがよいでしょう．また，アルコールは適量であれば睡眠導入に効果がありますが，睡眠の後半で眠りを浅くし，利尿作用から中途覚醒や早朝覚醒の原因となるので，寝酒の習慣はやめるようにします．極度の不安焦燥感や妄想などがみられるときには，早い段階で精神科医による治療につなげます．

2 かぜ・インフルエンザ

　かぜやインフルエンザの原因は多くがウイルス感染であるため，抗菌薬による効果は期待できません．また，発熱に対して解熱薬が投与されますが，植物療法では，発熱は免疫系を賦活しウイルスの活動を弱めるための生体防御機能の発現と捉え，むしろそれを応援する立場をとります．ただし，高熱の場合は解熱薬の投与を優先します．具体的には，エルダーフラワーやリンデンなど発汗・利尿作用をもつフラボノイドハーブが用いられます．また，免疫系を賦活して感染を防ぐエキナセアもハーブティーやサプリメントの形でよく用いられます．アロマセラピーでは，部屋の空気浄化と呼吸を楽にする目的で，ユーカリやペパーミント，ニアウリなど，抗菌力が強く揮発性の高い精油を用います．寝室でラベンダーなどの鎮静系の精油を芳香浴などで用いることで，質の高い睡眠を得ることができるため，かぜやインフルエンザからの回復を早めます．また，かぜやインフルエンザの予防には，空気の乾燥を防ぎ体を冷やさない，過労を避け十分な睡眠をとるといった日常生活での工夫が大切になります．

1 ● 植物療法

　エキナセアは，悪寒がするなどかぜのひき始めに集中的に摂るのが効果的です．エルダーフラワーやリンデンには，清涼感をもたらすペパーミントや，ビタミンC補給の目的でローズヒップとブレンドするとよいでしょう．咽頭の痛みには，抗菌作用と収れん作用をあわせもつセージ，咳にはタイムやフェンネル，マレインといった鎮咳・去痰ハーブを用います．いずれの場合も，ウスベニアオイやアルテア根（マシュマローの根）などの粘液ハーブを用いる方法もあります．精油の蒸気吸入は湿度を高めることにもなるので効果的です．ベンゾイン（安息香）の精油を蒸気吸入することは，先住民の知恵が今に続いている例といえます．咳や気管支炎には，鎮静・鎮痙作用をもつラベンダーやローマンカモミール，それにうっ血を除去する目的でローズマリーの精油などで作ったマッサージオイルや軟膏を胸部に塗布する方法もあります．入浴できない場合でもベルガモットやユズなど，血行を促進し気分を前向きにする精油を用いて足浴を行い，頭寒足熱の状態にすると楽になるためその後よく眠れます．ラベンダーの精油を1滴ティッシュに垂らして枕元に置くのもよいでしょう．

蒸気吸入剤
【精油を用いる手法】
適　　応：かぜ，気管支炎
処　　方：ユーカリ精油2滴，またはユーカリ精油1滴とローマンカモミール精油1滴
使用法：マグカップかボウルに熱湯を用意し，精油をたらしてひと呼吸おいたあと吸入します．

【メディカルハーブを用いる手法】
適　応：かぜ，咽頭炎，気管支炎
処　方：ジャーマンカモミール5g　　ペパーミント5g
使用法：洗面器，またはボウルにハーブを入れ，熱湯およそ1Lを加えて立ち上がる蒸気をひと呼吸おいたあとに吸入します．

チンキ剤
適　応：かぜ（内用）
処　方：エキナセア5g　　45％アルコール25mL
使用法：適量の水にエキナセアチンキ1.5mLを希釈したものを1日3回服用します．

シロップ剤（簡便法）
適　応：幼児のかぜ，咽頭炎
処　方：エルダーフラワー3g　　白糖
使用法：濃いめに茶剤を製し，粘稠になるまで白糖を加え，適量をスプーンで飲用させます．

リモナーデ剤
適　応：発熱時の喉の渇き，食欲不振
処　方：ハイビスカス2g　　ハチミツ
使用法：茶剤を製したあと，適量のハチミツを加えて酸味と甘味を調製します．喉が渇いたときに水がわりに常温で服用します．

2 ● 生活指導

　睡眠不足や体力の消耗，冷えに注意し，空気の乾燥を防ぎます．加湿器を用意する方法とともに，意外に効果があるのが観葉植物を置く方法です．観葉植物の蒸散作用によって湿度を保つことができ，また空気の浄化にも役立ちます．咳や気管支炎では禁煙し，またタバコ煙の曝露を避けます．インフルエンザが流行したり空気が乾燥している場合は，不要な外出は控え，外出の際もマスクを着用して手洗いやうがいを励行します．アメリカでは，かぜやインフルエンザの予防にビタミンCや亜鉛のサプリメントが服用されていますが，サプリメントに頼る前に食生活の見直しを行います．献立はタマネギやショウガ，カボチャなどの体を温める野菜を中心に組み立て，新鮮なくだものでビタミン類を補給します．免疫系を賦活するキノコ類の入った野菜スープや，それに米を加えて煮たお粥を食べるなどして，自然治癒力が十分に働くような環境を作ることが

大切です．動物性食品や乳製品の摂り過ぎは免疫系に負担をかけ，気道からの粘液の分泌を亢進させるので，気管支炎の場合には注意が必要です．

3 花粉症

　花粉症やアレルギー性鼻炎のくしゃみ・鼻水・鼻閉や目の充血・かゆみなどは，免疫系の過度の亢進状態に花粉やハウスダストなどのアレルゲンがあわさって発症します．したがって，対策としては体質改善とアレルゲンの除去をめざします．用いるハーブとしては，エルダーフラワーやネトルなどのフラボノイド含有ハーブが第一選択になります．クエルセチンなどのフラボノイドが毛細血管透過性の亢進を抑制したり，ヒスタミンの遊離を抑制して症状を緩和します．ドイツやフランスでは，春先にこうしたハーブを集中的に摂取する春季解毒療法がライフスタイルとして定着しています．精油は抗菌・抗ダニ効果が顕著なシネオールを豊富に含むユーカリや，シネオールとテルピネン-4-オールを含むニアウリを空気中に揮発させて用います．目の充血やかゆみには，収れん作用と抗菌作用をもつローズの芳香蒸留水を用いての冷湿布が効果的です．花粉症の症状は首から上に集中しますが，全身の問題として捉え，対策としては通年食生活に気を使ったり住居環境に工夫するなど，ライフスタイルそのものの改善が必要になります．

1 植物療法

　エルダーフラワーのハーブティーを継続的に服用します．鼻閉や頭重がある場合は，ペパーミントをブレンドすると清涼感が得られるとともに症状が和らぎます．これは温度感受性TRPチャネルのTRPM8にメントールが応答するためです．ネトルはハーブティーやフリーズドライカプセルの形で服用します．花粉症の症状はビタミンCを消耗するので，ビタミンC補給の目的でローズヒップティーを併用するとさらによいでしょう．また，炎症体質改善の目的でαリノレン酸を豊富に含むインカインチ油（アマゾングリーンナッツ油）やヘンプ油を，サプリメントまたは食材として摂取してω3比率を改善します．食材として1日スプーン1杯程度で十分です．アレルゲン対策としては，シネオールを70％以上含むユーカリの精油で，芳香浴や蒸気吸入を行います．ペパーミントの精油を用いる場合は，急に吸い込むと気道がけいれんするリスクがあるので注意します．ペパーミントの精油をワセリン（サンホワイト）に1％以下の濃度で混和し鼻口に塗布したり，ユーカリやニアウリの精油を用いて足浴を行い，頭寒足熱の状態にするなどの方法も試してみるとよいでしょう．

吸入剤

適　応：鼻炎，鼻閉
処　方：ペパーミント精油1滴
使用法：ティッシュに1滴をたらし，吸入します．

B. 症状別のケア

> **茶剤**
> 適　応：鼻炎
> 処　方：エルダーフラワー 2g　　ペパーミント 1g
> 使用法：熱湯200mLで3分間抽出し，香りを楽しみながら少量づつ服用します．

2 ● 生活指導

　花粉症やアレルギー性鼻炎の予防には，体の内側の環境（体内環境）と体の外側の環境（住居環境など）の両方に気を配ることが必要になります．室内はフローリングにするなどして拭きそうじをこまめに行います．室内でのカビの繁殖にも注意します．ただし，カビやダニをまったくゼロにすることは不可能なので，あまり神経質になるのもよくありません．また，コンパニオンアニマル（家族の一員としての動物）の存在は精神衛生上有意義ですが，体毛の多い動物と同居することは控えたほうがよい場合もあります．花粉が飛散しやすい風が強い晴れた日などは外出を控えたり，マスクを装着するなどの対処が必要です．マスクの外側にユーカリの精油を1滴たらして装着するのもよい方法です．一方，体質改善については食事や嗜好品の影響が大きいので，次項の食生活指針を参考にしてください．嗜好品では，飲酒や喫煙は症状を悪化させるので控えましょう．また，睡眠不足や過労，清涼飲料水の摂り過ぎには注意が必要です．

3 ● 食生活指針

　花粉症やアトピー性皮膚炎，生活習慣病などの背景には，共通して食生活の問題があります．毎日の食事に気を配り，炎症を起こしにくい状態を心がけましょう．なお，正しい食生活の内容は体質や体調により一人ひとり異なるものですが，ここでは基本となる考え方を食生活指針として表1にまとめておきます．

表1　食生活指針

> ❶ 主食はパンではなくごはん（和食）にして，毎日最低1回はごはんをしっかり食べましょう．
> 　（主食がパンだと，必然的に糖質や脂質の摂取が増えてしまいます．また，ごはん食はパン食に比べて腹もちがよいので，スナック類などの間食を減らせます）
>
> ❷ おかずは旬の野菜や魚を中心にして，お腹がすいたら季節のくだものなどを食べましょう．
> 　（お肉や乳製品など，動物性食品の摂りすぎは炎症体質を招きます．また，ポテトチップなどのスナック類やファーストフードなどの加工食品もできる限り控えましょう）
>
> ❸ 味噌汁（ワカメや豆腐など）や納豆などの大豆発酵食品を積極的に摂りましょう．
> 　（豆腐などの大豆加工食品はイソフラボンを含みホルモン分泌を調整するとともに，味噌や納豆などの大豆発酵食品はビフィズス菌などを増やし腸内環境を整えます）
>
> ❹ 菓子などの加工食品を買うときはラベルをよく見て添加物などの少ないものを選びましょう．
> 　（過剰な糖質や脂質，それにトランス脂肪酸を含むマーガリンやショートニングを摂取しないように気をつけます．なるべく合成着色料や合成甘味料不使用のものを選びましょう）
>
> ❺ 肉やケーキなどのスイーツは「ごちそう」と考え，週1～2回に控えましょう．
> 　（なるべく質のよいものを選び，肉を食べるときは必ず野菜やハーブとセットで，スイーツを食べるときはハーブティーとセットで摂るようにしましょう）

4章　症状別の植物療法

【糖質と脂質】

　糖質自体は必要な栄養素ですが，清涼飲料水などに使われている吸収の速い糖類は，血糖値を乱高下させ，心身の安定を崩すので注意しましょう．脂質についてもリノール酸などの必須脂肪酸は重要ですが，リノール酸などのω6系脂肪酸の摂取が，αリノレン酸などのω3系脂肪酸に比べて著しく多いと炎症体質を招くので注意します．植物油については，健康な人はオレイン酸を豊富に含むオリーブ油か椿（カメリア）油を使い，炎症体質の改善にはαリノレン酸を豊富に含むアマゾングリーンナッツ（インカインチ）油やヘンプ（麻の実）油を摂りましょう．なお，糖質と脂質の摂取が多い人は，いずれも強化（報酬）効果があるため自分の意志でがまんすることが難しいのですが，調理でだし風味（昆布・カツオ節・シイタケなどのアミノ酸や核酸の旨味とカツオなどの魚の匂い）を上手に生かす工夫をしましょう．

4　アトピー性皮膚炎

　アトピー性皮膚炎の背景には，アトピー素因（家族歴や既往症）や食生活，それに精神的なストレスやアレルゲンなど多くの要因があり，特に嗜好品を含む食生活の改善と適切なストレスコントロールが望まれます．また，アトピー性皮膚炎は季節などによって憎悪と寛解をくり返すため，治療のゴールは完治ではなく，日常生活に支障をきたさない程度に症状をコントロールすることにおきます．したがって，外用ステロイド薬を「使う」，「使わない」といった2分法ではなく，寛解期は植物療法で対処し，憎悪期にはステロイド薬の使用も視野に入れ，その場合でもステロイド薬の強さのランクを選んだり，アンテドラッグ（吸収後に活性が低下する製剤）を使用するなど，きめ細かい対処を行います．なお，アトピー性皮膚炎に対しては特殊な食事療法やサプリメント，その他の代替療法により効果をあげる場合があり，これらは，その背後に「信じる力」や「それにかける意気込み」が治癒力となって働いているように思われます．統合医療ではこうした効果を一概には否定しませんが，栄養障害などのリスクやコスト面の負担など，総合的に評価する必要があります．

1　植物療法

　清涼飲料水による糖質の過剰な摂取や体を冷やすことは憎悪要因になるので，ジャーマンカモミールやネトル，ローズヒップなどのハーブティーに切り替えます．ジャーマンカモミールなどをブレンドしたアンデスのカチャマイ茶を継続的に服用するとよいでしょう．病巣には黄色ブドウ球菌が増加しているため，抗菌・消炎・抗酸化作用により，ラベンダー精油などの外用が有効なケースもあります．ただし，濃度や基剤に配慮し，基剤にはミツロウ軟膏やサンホワイト（ワセリン），あるいはアルギン酸などのジェルやバッチ博士のレスキュークリームなどを状況に応じて選択します．いずれの場合も，ローズや白樺の芳香蒸留水で保湿したあとにうすく塗布します．植物油を用いる場合は，マカデミアナッツ油50％，ヘンプ（麻の実）油40％，小麦胚芽油

10%のブレンドがよいでしょう．炎症体質の改善にはω3比率を高めるため，アマゾングリーンナッツ油やヘンプ油を1日小さじ1杯ほど補給します．サプリメントでは月見草油やビタミンB_6，それにビタミンEや亜鉛が用いられます．月見草油に含まれるγリノレン酸はω6ですが，月見草油が奏効するケースがあるのは，炎症を抑えるプロスタグランジンE_1を増加させるためと考えられています．

散剤（茶剤として活用）

適　応：肌荒れ，感染症
処　方：ローズヒップ5g
使用法：ローズヒップを粗挽きにして熱湯抽出し，浸剤を服用後に残渣（不溶物）を食します（ビタミンCやフラボノイドだけでなく，カロテノイドやビタミンEなど，脂溶性成分との相乗効果が得られます）．

茶剤

適　応：肌荒れ，湿疹
処　方：ジャーマンカモミール2g　　ローズヒップ1g
使用法：熱湯200mLで3分間抽出し，1日3～6杯服用します．

入浴剤

適　応：皮膚炎，心身の緊張
処　方：ジャーマンカモミール20g　　水500mL
使用法：熱湯で10分間以上抽出し，こしたものをバスタブの湯に加えてよくかきまぜてから入浴します．

2 ● 生活指導

　皮膚は発生学的に外胚葉に由来し，精神的ストレスや感覚刺激に敏感に反応します．また，ビフィズス因子による腸内環境の改善は，炎症やアレルギーの抑制に有効であり，さらに腸と脳との双方向の応答は，腸内細菌によって修飾されることが明らかになりました．したがって，アトピー性皮膚炎の対処には，経験的にも理論的にも安心・安静を保つことと，食生活の改善が重要です．まず，無理をしないで十分な睡眠をとり，起床時間と就寝時間を一定にして自然のリズムに即した生活を心がけます．食生活については，冷たい飲料とファーストフードなどの油脂加工食品を避け，和食を基本にします（「食生活指針」p.117参照）．タッチやマッサージも心身の緊張を緩め，炎症を鎮めるのに有効です．精油や基剤がかゆみを誘発する場合があるので，必ずしも

使う必要はなく，服の上からのマッサージでも構いません．入浴も皮膚を清潔に保ちストレスから解放されるのに役立つので，1日の終わりにローマンカモミールやベルガモット，ユズなどの精油を用いたバスソルトを加え，ぬるめのお湯で15分ほど入浴するとよいでしょう．

5 胃炎

　食欲不振や消化不良などの消化器系の機能障害に対して，ハーブティーは服用後に成分が直接患部に働きかけることができ，また，ティーカップから漂う芳香成分が心身相関的に作用するため，たいへん適した剤形といえます．苦味や酸味などの呈味成分を活用することもよい方法です．植物化学成分には，一部の精油やポリフェノールのように抗菌・抗ウイルス作用をもつものもありますが，植物療法では，胃潰瘍に対してヘリコバクター・ピロリを退治するといったアプローチは取らず，あくまでも症状の背景にあるストレスの緩和をめざします．用いるハーブは消炎成分のアズレンやその前駆体，それにベンゾジアゼピン受容体のリガンドであるフラボノイドのアピゲニンを含むジャーマンカモミールが第一選択になります．また，本人の嗜好に合ったラベンダーやローマンカモミールなどの鎮静・鎮痙作用のある精油を用いてオイルマッサージを行い，体性神経−自律神経反射を介して消化器系の機能を回復する方法も有効です．心のケア，感情面へのアプローチが必要なケースには，バッチ博士の花療法 (p.112参照) も有用です．

1 植物療法

　食欲不振や消化不良などには，精油を0.9%以上含むペパーミントや，苦味ハーブのアーティチョーク，酸味ハーブのハイビスカスなどのハーブティーを服用します．呈味成分の刺激が大事なので，砂糖などを加えずに服用します．食あたりや吐き気には，ペパーミントに抗菌作用の強いタイムをブレンドするとよいでしょう．胃炎・胃潰瘍には，青色精油を0.4%以上含むジャーマンカモミールのハーブティーを，空腹時に香りを楽しみながらゆっくりと服用します．痛みや不快感がある場合はジャーマンカモミールにペパーミントを，膨満感がある場合はフェンネルをスプーンの底でつぶしてからブレンドするとよいでしょう．不安感が強い場合には，抗不安作用のあるインドールアルカロイドを含むパッションフラワーと，ジャーマンカモミールなどの鎮静系のハーブをブレンドします．胃粘膜の保護には，アルテア根（マシュマローの根）やウスベニアオイなどの粘液ハーブを用います．神経性胃炎にはレモンバームを用いますが，作用の柱である精油の含有量がもともと少ないため，香りがしっかり残っているレモンバームを用いるのがポイントです．

湿布剤（温湿布）

適　応：消化不良，食欲不振
処　方：ローマンカモミール精油1滴　　ペパーミント精油1滴
使用法：やや熱めの湯に精油をたらし，軽くかきまぜたものを湿布液とします．横になって腹部にあてます．

茶剤（浸剤をそのまま飲用する場合は茶剤という）

適　応：胃潰瘍
処　方：ジャーマンカモミール3g
使用法：コミッションEモノグラフには次のように記載されています．
【食サジ(tablespoon)山盛り1杯のジャーマンカモミール(約3g)に熱湯(約150mL)を注ぎ，フタをして5〜10分後に茶こしを通す】
食間に香りを楽しみながら少量ずつ服用します．

2 ● 生活指導

　胃酸分泌を亢進し，胃粘膜に刺激となるお酒や炭酸飲料，それに血流を低下させ潰瘍の治癒を遅らせる喫煙を控えます．食事は消化のよいものを食べて心身の安定を心がけます．胃食道逆流症の場合も，酸分泌を亢進する飲酒や喫煙，カフェイン飲料や脂肪の多い食事を控えます．なお，胃食道逆流症の場合には下部食道括約筋への影響を考慮して，平滑筋への作用をもつペパーミントの内服は控えるべきとの意見もあります．ストレス対策としては本人がストレスの真の原因に気づくとともに，簡単なストレスコントロール技法（ストレス要因の軽減とストレス耐性の強化）を身につけるとよいでしょう．ハーブを使いこなせるようになることはコーピングに有益ですが，場合によっては信頼のおけるセラピストをみつけることも必要になります．生活のなかで植物療法を実践し，頭痛や月経痛など，さまざまな場面での非ステロイド系抗炎症薬 nonsteroidal anti-inflammatory drugs (NSAIDs) の使用を減らすことは，NSAIDsによる潰瘍の発生を防止することになり，また，ヘリコバクター・ピロリ除菌後の胃潰瘍再発防止にもつながります．

6　便　秘

　胃腸などの消化器官は自律神経系の支配下にあり，精神的なストレスの影響を受けて機能障害に陥るケースがよくあります．現代人の便秘の原因はストレスや食物繊維の摂取不足，それに運動不足による腹筋の弱さなどにあります．ハーブティーはカフェイン含有ハーブなどを除いておおむね副交感神経刺激であり，食物繊維や水分の補給にもなります．また，ハーブに含まれてい

るフラボノイド配糖体などの糖部分は腸内細菌により資化され，腸内フローラの改善に役立ちます．配糖体はプレバイオティクスでもあるのです．最近増加傾向にある過敏性腸症候群 irritable bowel syndrome (IBS) にはペパーミントが第一選択になります．ペパーミントの精油に含まれるl-メントールが，カルシウムイオンのモジュレーターとして腸管の機能を調整します．ところで，脳と腸は双方向で情報伝達を行っており，この脳−腸相関には腸内細菌も関わっています．したがって，心身症であるIBSのケアには脳と腸の両方，つまり心と体の全体を通してライフスタイルの改善が求められるのです．

1 • 植物療法

　ダンディライオンの根を軽く焙じていれたお茶は「タンポポコーヒー」の名で親しまれています．ダンディライオンの根に含まれるオリゴ糖のイヌリンは，プレバイオティクスとして作用し，ビフィズス菌などの有用菌を増やすとともに，腸内細菌による代謝で生じた短鎖脂肪酸が腸管内のpHを低下させ，腸内環境の改善に役立ちます．膨満感を伴う場合は，駆風作用のあるジャーマンカモミールやフェンネルを用いるとよいでしょう．女性に人気のあるハイビスカスも有機酸を含むため，ローズヒップとともに緩下作用があります．脂肪の多い食べ物でもたれたようなときは，アーティチョークなど強肝・利胆作用をもつハーブを用います．緊張性（けいれん性）便秘にはローマンカモミールなど，鎮静・鎮痙系の精油を用いて腹部をマッサージするのもよい方法です．弛緩性便秘にはローズマリーの精油を用いて適度な刺激を与えます．IBSで腹痛を伴う場合や不安が強い場合には，ジャーマンカモミールに抗不安作用をもつパッションフラワーをブレンドして用い，抑うつが強い場合にはセントジョンズワートなど抗うつ系ハーブの適用となります．

茶剤
適　応：虚弱，肝機能低下
処　方：ダンディライオン（ローストしたもの）6g
使用法：熱湯60mLで10分間以上抽出し，さらに牛乳140mLを加え弱火で加熱したあと，茶こしを通します．黒糖などで甘味をつけてもよいでしょう．

湿布剤（温湿布）
適　応：幼児のお腹の不調，心身の緊張
処　方：ジャーマンカモミール10〜20g　　水500〜1,000mL
使用法：熱湯で10分間以上抽出し，こしたものを適温まで冷まし，湿布液として患部を湿布します．

2 生活指導

便秘で悩む女性のなかにはカロリーを気にするあまり食事をしっかり摂らず，ジュース類や菓子類でお腹を満たしているケースがよくあります．これでは便秘になっても仕方ないといえるでしょう．食事は食物繊維の多いごはん食と野菜を基本にして，ホールフード（精製などの加工をしない全体食）の形で摂るようにします．味噌汁や漬けものなどの大豆発酵食品は，腸内環境の改善にきわめて効果的です．食物繊維を十分に摂るには，ヘンプシード（麻の実）やヘンプナッツ，亜麻仁などが効率的で，これらは炎症体質の改善に役立つω3脂肪酸の供給源でもあります．腹筋を鍛えるには特別な運動は必要ではなく，とにかくよく歩くことです．1日の終わりをシャワーで済まさずに，温かいお風呂にゆっくりつかって心と体を解放することも大切です．瀉下薬に頼らず，食事や緩下ハーブで自然な排便を心がけましょう．また，抗コリン薬や向精神薬などによる薬剤性の便秘にも気をつけます．腸内環境を整えることは，配糖体のアグリコン吸収などにも関係するため，植物療法の効果を高めるためにも重要な条件になります．

7 月経痛・月経前症候群

月経痛や月経前症候群 premenstrual syndrome (PMS) の増加の背景には，ハンバーガーと清涼飲料水の組み合わせに象徴されるような，動物性油脂と糖質の過剰摂取や精神的ストレスなど都市型のライフスタイルがあります．安易に鎮痛薬で対処するのではなく，栄養・運動・休養の3本柱の見直しが必要です．ハーブティーは症状の憎悪要因であるカフェインや砂糖を含まず体を温めるので，とても有効なアプローチです．アロマセラピーでは，鎮静・鎮痙作用をもたらす酢酸リナリルなどのエステル分を豊富に含み，またホルモン様作用をもつといわれるジテルペンアルコールのスクラレオールを含むクラリセージが第一選択になります．また，チェストベリーやブラックコホシュなどの，フィトエストロゲン様作用をもつハーブのサプリメントを服用する方法もあります．こうした内分泌系へのアプローチとは別に，子宮内膜症や多嚢胞性卵巣症候群 polycystic ovary syndrome (PCOS) には，グレープシードやホーソンなど植物由来のオリゴメリックプロアントシアニジン (OPC) や，マイタケなどキノコ由来のβ-グルカンや食物繊維を摂取し，免疫系からアプローチする方法もあります．

1 植物療法

フラボノイドなどの植物化学成分は心身相関的に働き，自律神経系，内分泌系，免疫系に調整的に作用するため，植物療法はPMSや不定愁訴に適した療法といえます．ハーブティーでは，鎮静・鎮痙作用をもつフラボノイドを含むジャーマンカモミールやラズベリーリーフに，ビタミンC補給の目的でローズヒップをブレンドしたものを用います．また，PMSはセロトニン代謝とも関わりがあるのでセントジョンズワートも用います．不安や疼痛にはジャーマンカモミールにパッションフラワーをブレンドして服用します．乳房痛や腰痛にはクラリセージ，ローマンカ

モミール，ゼラニウムなどの精油を用いた温湿布などの局所温熱療法やオイルマッサージを行います．疼痛に，フランキンセンスやオレンジ精油の香りを漂わせて，呼吸法や深呼吸を行うのもよい方法です．ハーブサプリメントではチェストベリーやブラックコホシュなど，またγリノレン酸を8〜9％含有する月見草（イブニングプリムローズ）油を，毎食後に500〜1,000mg服用します．栄養療法（ニュートリション）ではビタミンB_1やビタミンB_6などのビタミンB群やビタミンE，それにカルシウムとの比率が1：1のマグネシウム製剤が用いられます．

リニメント剤（マッサージオイル）
適　応：月経痛，月経前症候群
処　方：マカデミアナッツ油9mL　　月見草油1mL
　　　　クラリセージ精油2滴，またはクラリセージ精油1滴とローマンカモミール精油1滴
使用法：腰の回りなどをマッサージします．

茶剤
適　応：疼痛，不安
処　方：ジャーマンカモミール2g　　パッションフラワー2g
使用法：熱湯200mLで3分間抽出し香りを楽しみながら服用します．

2 生活指導

　睡眠を十分にとるなど，心身の安静と安定を保つとともに体を冷やさないことを心がけます．冷えの対処については後述の「冷え症・肩こり」の項（p.126）を参考にしてください．食生活の注意として，肉類や乳製品などの動物性食品の摂り過ぎは，脂肪酸－免疫系を介してPMSや婦人科疾患の憎悪要因となるので，野菜など植物性食品中心の食事に切り替えます．また，トランス脂肪酸を含んだマーガリンやショートニングなどの加工油脂の摂取は控える一方，αリノレン酸などのω3系脂肪酸を，インカインチ（アマゾングリーンナッツ）油やヘンプ油などから摂取してω3比率の改善をはかります．市販のジュースやコーラなどは砂糖を大量に含むため，二重の意味で体を冷やします．また，吸収の早い糖類は血糖値の急な変動を招き心の安定を乱すので，注意が必要です．食生活については前述の「食生活指針」（p.117）を参考にしてください．また，PMSで悩む女性は入浴をシャワーで済ましているケースが多いのですが，シャワーでは体の汚れは落とせてもストレスを解放し体の芯から温まることはできないので，1日の終わりにはゆっくりとアロマバスを楽しみましょう．

8 更年期障害

　更年期の視床下部−脳下垂体−卵巣系の変調は，冷えやのぼせ，動悸や意欲低下など，さまざまな不定愁訴となって現れます．これに対して，植物療法は自律神経−内分泌系の応答を調節し，心身相関的に働くことでこうした症状を和らげることができるため，ホルモン補充療法の代替として試みられています．香り刺激は情動の座である大脳辺縁系に直行するため，アロマセラピーは有効な対処法となります．また，チェストベリーやブラックコホシュなど，エストロゲン様作用をもつハーブ（フィトエストロゲンハーブ）を用いることもできます．フィトエストロゲンハーブは選択的エストロゲン受容体修飾因子 selective estrogen receptor modulator（SERM）のように作用しますが，その一方，乳がんや子宮がんなど，エストロゲン感受性疾患がある場合には配慮が必要になります．こうした場合は「使用する」，「使用しない」といった2分法ではなく，「使用しつつ定期的に検診を受ける」といった第三の選択肢も視野に入れることが大切です．また，心のケアや感情面へのアプローチが必要なケースには，アロマやハーブに加えてバッチ博士の花療法（p.112参照）を試みるのもよいでしょう．

1 植物療法

　ラベンダーの精油を用いたアロマバスは，香りによるリラックス効果だけでなく，自律神経中枢に作用して心身のバランスを回復し，不定愁訴を和らげます．芳香浴やオイルマッサージにはホルモン調整作用のあるクラリセージやゼラニウム，自信喪失にはローズやイランイラン，不眠や抑うつにはネロリや月桃などが用いられます．ハーブティーでは，不眠や抑うつにセントジョンズワート，ほてりや発汗異常にセージ，冷えやしびれにサフランがよいでしょう．ブレンドでは心身の緊張にジャーマンカモミールとパッションフラワー，疲労感や無気力にローズとローズヒップ，あるいはローズとベルベーヌを用います．ほかにサプリメントとして，エストロゲン様作用のあるチェストベリーやブラックコホシュ，体を温めて強壮効果をもつマカ，それに血液循環を促進するビタミンEなどが用いられます．ローズの芳香蒸留水に含まれる芳香成分のフェニルエチルアルコールには抗不安作用があるので，ローズの芳香蒸留水で化粧水やコロンを創って楽しむのもよい方法です．バッチ博士の花療法（p.112参照）のレメディーでは，ウォルナットやクラブアップル，ゴースやハニーサックル，ワイルドオートにウィロウなどが用いられます．

入浴剤
適　応：自律神経失調症（半身浴）
処　方：ホホバ油5mL　ラベンダー精油4滴
使用法：ホホバ油に精油を希釈し，浴槽の湯に溶かし15分間入浴します．湯の温度はややぬるめに設定し，発汗するまでじっくり入浴します．

🍵 茶剤

適　応：意欲低下，倦怠感
処　方：ハイビスカス2g　　ペパーミント1g
使用法：熱湯200mLで3分間抽出し，香りを楽しみながら服用します．

● 2 ● 生活指導

　更年期というステージを否定的に捉えるのではなく，人生のプロセスとして前向きに受け止め，栄養・運動・休養の3つの視点から生活スタイルの見直しを行います．食事は野菜中心の献立として，イソフラボンを含む納豆，豆腐，味噌などの大豆，および大豆発酵食品を積極的に摂ります．ω3系脂肪酸と食物繊維補給の目的でヘンプシードやヘンプナッツ，亜麻仁を摂るようにします．これらに含まれる植物性リグナンは，腸内細菌によりエンテロラクトンやエンテロジオールに変換され，エストロゲンの調整に役立ちます．一方で，マーガリンやショートニングなどの加工油脂の摂取や，過度の飲酒，喫煙は心疾患のリスクを高めるので控えましょう．運動では，ウォーキングや散歩などの有酸素運動は，気分転換になるとともに循環器機能の向上や骨粗鬆症の予防にもなり，さらに生体リズムの調節因子である日光を浴びることにもなるのでたいへん有用です．休養面では香りや音楽，マッサージなど五感の刺激を上手に取り入れながら，毎日を穏やかに過ごすことを心がけますが，必要に応じて信頼できるセラピストをみつけることも問題の解決を早めることにつながります．

9　冷え症・肩こり

　冷えは万病のもとであり，冷えによる悪影響を受けやすい女性は特に気をつける必要があります．現代人の冷えの原因は，精神的なストレスや動物性食品の摂り過ぎ，それに運動不足や浅い呼吸などにあるため，生活スタイルの見直しが求められます．ストレスは交感神経が亢進して血管を収縮するため，血行不良を招きます．精油の香りやハーブティーはおおむね副交感神経刺激なので，アロマセラピーやメディカルハーブを積極的に活用しましょう．野菜やくだものなどの植物性食品は，ポリフェノールを豊富に含み，動脈硬化などによる血行不良や血液の流動性が低下するのを防ぎます．また，運動は循環機能を高めるとともに，血液循環に必要な血管周辺の微細な筋肉を鍛えることになります．浅い呼吸はエネルギー代謝に必要な全身への酸素供給を不足させるので，改善が必要になります．呼吸では，息を吐くときが副交感神経刺激になるので，深い呼吸を心がけるとともに，吐く息に意識を向けるようにします．当たり前のことですが，住居環境や衣服にも注意し体が冷えるのを防ぎましょう．

1 ● 植物療法

　快い香りに包まれてリズミカルに行うオイルマッサージは，副交感神経を刺激し，適度な圧迫と皮膚刺激が微細な筋肉を鍛えることにもなるので，冷え症対策としてたいへん効果的です．オレンジやユズ，ベルガモットなど，血行促進作用のあるリモネンを含む柑橘系の精油や，循環機能を高めるローズマリーの精油を用いるとさらに効果的です．キャリアオイルにビタミンEを含む小麦胚芽油を10％ほど加える方法もあります．ハーブティーではジャーマンカモミールやハイビスカス，それにルイボスやローズマリーなどがよく用いられます．サプリメントでは，末梢循環障害にイチョウ葉やマカ，それにビタミンE製剤が用いられます．重いものをもつといった原因に代わって，現代人の肩こりの原因として多いのが，パソコンによる目の疲れからくるものです．アントシアニン色素は眼精疲労の回復や予防に有効なので，ウスベニアオイやハイビスカスなどのハーブティーや，ビルベリーのサプリメントなどを上手に利用するとよいでしょう．眼の疲れを取るために，ラベンダーの精油を用いて眼の温湿布や，ローズの芳香蒸留水を用いた冷湿布を行うのもよい方法です．

入浴剤
適　応：冷え症，夜間頻尿（全身浴）
処　方：自然塩50g　ベルガモット精油4滴
使用法：自然塩に精油をたらし，なじませたあとに浴槽の湯に溶かし，15分間入浴します．

湿布剤（温湿布）
適　応：眼精疲労
処　方：ラベンダー精油1滴
使用法：やや熱めの湯に精油をたらし，軽くかきまぜたものを湿布液とします．閉じた目の上を湿布します．

2 ● 生活指導

　仕事から帰ると，疲れているからとシャワーで簡単に体を洗い，すぐに寝室に直行するという人が増えていますが，1日の終わりには必ず入浴してストレスを解放するとともに体の芯からじっくり温まることが大切です．リモネンを豊富に含み，血行促進作用のあるユズの精油を用いてアロマバスを楽しみましょう．自然塩50gにユズの精油4～6滴を加え，よくまぜればバスソルトができ上がります．これをバスタブに入れて溶かし，香りを楽しみながら13～15分間入浴します．体内にたまった疲労物質を洗い流すといわれるジュニパー（ワコルダー）の精油を用いてもよいでしょう．なお，冷え症の改善にはイメージ療法や，それに加えて行う呼吸法も有効

な方法です．たとえば，ベルガモットなど暖かい香りを漂わせ，自分が南国の海岸で日光浴をしているようなイメージを思い浮かべながら深呼吸を行うなどの方法です．食生活ではタマネギやガーリックなどの野菜や，ジンジャーやトウガラシなどのスパイスを上手に使い，体を温めます．年配の女性の冷えやしびれには，サフランライスやサフランソースもよいでしょう．冬至にユズ湯に入り，カボチャを食べた昔の人の知恵を学びましょう．

10 妊娠・出産時の植物療法

妊娠や出産は自然のプロセスの一部であり，病気ではありません．この時期に起こるマイナートラブルも，母子が新しい環境に適応するための必要なプロセスとも考えられるので，医学的介入は必要最小限に抑え，ハーブなどの自然薬を上手に用いて乗り切ることが望まれます．また，そうした体験はその後の母子の健康観に影響を与え，セルフヘルプに対する大きな自信につながります．通常は健康にあまり関心のない女性も，この時期は生まれてくる子どものためにも食生活などに気を配るようになるため，セルフヘルプの知識と技術を身につけるよい機会になります．ただし，医薬品を使わずになにがなんでも自然薬だけで乗り切ろうとするのは，母子の健康を損なう危険があります．要は，統合医療的な視点をもち，バランス感覚を身につけることが，何より大切なポイントになります．初産で不安が強いといった心のケアや，感情面へのアプローチが必要な場合は，バッチ博士の花療法（p.112参照）も役に立ちます．なお，妊婦さんや授乳婦さんの薬物療法に関する相談窓口としては，国立成育医療研究センターの「妊娠と薬情報センター」や虎の門病院の「妊娠と薬相談外来」などがあります．

1 植物療法

妊婦さんに対するオイルマッサージについては，精油の濃度や手技に十分な配慮が必要です．つわりには制吐作用のあるジンジャーやペパーミントが，出産準備には筋肉の緊張を緩めるラズベリーリーフのハーブティーがよく用いられます．貧血にはネトルと，鉄の吸収を高めるビタミンCを豊富に含むローズヒップをブレンドして服用します．最近では，国内でもフローラディクス（ネトルやホウレンソウなど，鉄や葉酸を豊富に含むドイツの植物性自然飲料）が入手可能なので，継続して飲むとよいでしょう．母乳の出をよくするには，催乳作用をもつダンディライオンやフェンネルのハーブティーを服用します．ダンディライオンの根を軽く焙じていれたお茶は，「タンポポコーヒー」の名で知られていますが，そもそもカリフォルニアの妊婦さんたちが飲み始めたのが普及するきっかけでした．サプリメントでは，初期の悪心や嘔吐にジンジャーとビタミンB_6を，産後うつにはセントジョンズワートを用います．なお，妊娠中の下肢のけいれんについては原因はわかっていませんが，ビタミンEやカルシウム，マグネシウムのサプリメントを内服したり，ストレッチやマッサージなどの手技を施します．

B. 症状別のケア

🌱 茶剤

適　応：母乳の分泌不足
処　方：ダンディライオン2g　　フェンネル2g
使用法：熱湯200mLで3分間抽出し，香りを楽しみながら服用します．

適　応：初期の悪心
処　方：ペパーミント1g　　ローズヒップ2g
使用法：熱湯200mLで3分間抽出し，香りを楽しみながら服用します．

2 生活指導

　妊娠中は眠ることや食べることなど，いつもより本能的な行動がみられ周囲もとまどうケースがありますが，それを理性や論理で規制するより，むしろ五感や直感に従い，必要以上に頭を使わないようにします．妊婦さんにとってもっとも大切なのは安心と安静を確保することですが，この2つに悪影響を及ぼすものに情報化社会における情報洪水があります．特に，パソコンやインターネットなど，視覚から入力される情報は，妊娠や出産に必要な情動や本能をゆがめることになりかねません．妊娠中は質の高い食生活をめざし，嗜好品の摂取にも十分配慮します．アルコールは容易に胎盤を通過して胎児へ移行し影響を及ぼす可能性がありますので，妊娠中は摂取を避けるべきです．また喫煙は血管収縮により血液循環を妨げ，ビタミンCの消耗を招き，さらに胎児および乳児への影響も報告されていますので，妊娠・授乳中は禁煙したほうがよいでしょう．また，妊娠・出産を通して，散歩やウォーキングなどで適度に体を動かすことも大切です．ところで，妊娠や胎児の健康状態は，妊婦さんと家族との関係などが大きく影響を与えるケースをよく目にします．したがって，植物療法の実践においても，ただ単に症状とハーブを結びつけるのではなく，よりホリスティックな視点で関係性に目を向けることが大切になります．

🎀 11 生活習慣病の植物療法

　フラボノイドやポリフェノールに代表される植物化学成分は，ビタミンやグルタチオンなどの抗酸化物質とともにストレス下で発生する活性酸素を消去して，細胞を酸化（老化）から守ります．また，ポリフェノールにはシクロオキシゲナーゼ阻害などの酵素阻害作用や，エイコサノイドの調整作用があるため，炎症や血液凝固を抑制して生活習慣病予防に貢献します．人間はストレスに襲われると活性酸素による直接的な酸化障害とともに，飲酒や喫煙，薬物依存などの誤った行動に走り，2次的な酸化障害を招きます．こうした行動に対し，植物化学成分は心身相関的に働き，精神的なストレスを和らげて，誤った行動による被害を少なくする効果もあります．さらに生活習慣病は，インスリン抵抗性や肥満，高血圧と脂質異常症の4つが「死の四重奏」といわれ

るように，互いに重なり合って発症します．これに対し，ハーブは多成分・多機能系で生体防御システム全体に働きかけるため，とても効果的です．生活習慣病の1次予防から3次予防まで，幅広い領域やステージで植物療法を実践することは，医療費や介護費用の削減にもつながります．

1. 植物療法

　高血圧や脳卒中などの心血管イベントにおける1次予防には，カリウムの補給が有効です．リンデンやネトル，クミスクチンなどの利尿系ハーブは，カリウムを豊富に含み，また尿酸などの窒素化合物の排出も促します．2型糖尿病の予防には，α-グルコシダーゼ阻害作用をもつデオキシノジリマイシンや，亜鉛を含むマルベリー（桑の葉）のハーブティーを食前に服用します．ほかに，イヌリンを含むダンディライオンや，インスリン様ペプチドを含むゴーヤ（ニガウリ）を用います．うっ血性心不全や狭心症の予防には，オリゴメリックプロアントシアニジンを豊富に含み，陽性変力作用をもつホーソンが第一選択になります．ホーソンは作用が緩やかなので，高齢者にも安心して使えます．脂質異常症にはアーティチョークのハーブティーがお勧めです．苦味が強い場合はペパーミントを少しブレンドします．抽出液でアルコールを割ってもよいでしょう．ほかには，ダンディライオンやウコンなどの苦味ハーブを用います．日常生活での油の摂り方については，オレイン酸を80〜85％も含み，きわめて酸化しにくい椿（カメリア）油やオリーブ油を使い，炎症体質の改善にはω3比率を上げるため，αリノレン酸を豊富に含むインカインチ（アマゾングリーンナッツ）油やヘンプ（麻の実）油を用います．

茶剤

適　応：2型糖尿病
処　方：マルベリー3g
使用法：熱湯200mLで3分間抽出し，必ず食前に服用します．

....

適　応：脂質異常症
処　方：アーティチョーク2g　　ペパーミント1g
使用法：熱湯200mLで3分間抽出し，服用します．

---

2. 生活指導

　軽症の高血圧や糖尿病などは，薬物療法に頼らなくてもライフスタイルの改善によって，血圧や血糖値をコントロールすることは十分に可能です．栄養・運動・休養の3本柱を見直していくうえで，植物療法を導入することは努力を継続する面でも動機づけになり，誤ったライフスタイルから自然に行動変容を起こすことにつながります．また，植物療法は比較的コストが低く，「精油は内服しない」などのルールを守れば，健康被害が生じにくいのも利点の1つです．栄養面では植物性食品を積極的に摂り，糖質や脂質については量と質に注意します（「食生活指針」p.117

参照）．運動面では無理をせず，継続を第一に行います．定期的な身体活動や運動の効果として，心血管系や呼吸器系の改善や冠動脈疾患における危険因子の軽減，さらには不安やうつ状態の軽減や生きがいの向上などが報告されています．休養面では睡眠や入浴，呼吸法やセルフマッサージなどが生活習慣病予防に有効ですが，これらに植物要素として寝室やバスルームに香りを漂わせたり，精油を用いたオイルマッサージなどを加えることで，さらに効果を高めることが可能です．

12 高齢者の植物療法

　もの忘れや視力の低下，尿失禁や無気力など，高齢者によくみられる病態は，従来の臓器別の疾患体系では十分に捉えきれず，慢性化や障害の重複によりQOLの低下を招いています．また，高齢者は肝機能や腎機能の衰えから，多剤併用処方による有害作用がしばしば生じています．一方，植物療法は多成分・多機能系であり，代謝系への負担も少ないことから，高齢者に適した療法といえます．アロマセラピーでの香り刺激は大脳辺縁系に直行するため，生命力そのものを賦活するとともに，脳の記憶領域にも働きかけることができ，脳機能が低下している高齢者に適しています．香り刺激と一緒にハンドマッサージなどで末梢神経を刺激すると，より効果的です．また，日中はローズマリーやレモンなどリフレッシュ系の香り，夕方からはラベンダーなどのリラックス系の香りというように使い分け，意図的に生体リズムを刺激するとよいでしょう．高齢者にはしばしば疼痛と抑うつがみられますが，そのメカニズムに双方向性があるともいわれています．鎮痛作用と生体リズム調節作用をあわせもつセントジョンズワートは，古くから高齢者のさまざまな症状に対する第一選択になっています．

1 植物療法

　認知症や耳鳴り，めまいや跛行にはイチョウ葉やビタミンEのサプリメントを服用します．泌尿器系のトラブルが多いのも高齢者の特徴です．女性の頻尿や尿失禁にはセージやセントジョンズワート，それにエストロゲン様作用のあるチェストベリーやブラックコホシュが，尿道炎にはクランベリーのサプリメント（ただし，間質性膀胱炎にはアルテア根），過敏性膀胱にはパッションフラワーが用いられます．男性の良性前立腺肥大には，ソウパルメットのサプリメントがよいでしょう．いずれの場合も，ベルガモットなど柑橘系の精油を用いて，足浴や半身浴を行うと不快感が解消できます．加齢黄斑変性症にはカロテノイド色素のルテインを含むカレンデュラや，亜鉛のサプリメントが用いられます．神経痛には温湿布や部分浴で患部を温めたあと，セントジョンズワートの浸出油にラベンダーの精油を1％濃度で希釈したものをやさしく塗布します．高齢者の不眠には，セントジョンズワートのほかにサフランがよいでしょう．関節リウマチにはネトルかダンディライオンのハーブティーが第一選択になります．1回3gのローズヒップを粉砕したものを丸ごと摂るのもよいでしょう．キャッツクローやデビルズクローのサプリメントを服用する方法もあります．

> **茶剤**
>
> 適　応：神経痛などの疼痛
> 処　方：セントジョンズワート2g　　ジャーマンカモミール2g
> 使用法：熱湯200mLで3分間抽出し，香りを楽しみながら服用します．
>
> ・・・
>
> 適　応：関節リウマチ
> 処　方：ダンディライオン2g　　ローズヒップ2g
> 使用法：熱湯200mLで3分間抽出し，服用します．

2・生活指導

　高齢者の食事については，必要量をきちんと食べることが大切です．そのためには，食欲を低下させる冷たいものは控え，香辛料や酢などで食欲を上手に刺激します．トウガラシや黒コショウなどをうまく使うことは，嚥下障害の予防にもなります．運動については，たとえば認知症などでも身体活動（運動）により，認知機能が低下するリスクを抑制することが，多くの観察研究で示されています．散歩やウォーキングは身体機能や循環機能のみならず，日光の曝露により生体リズムの調節にも役立ちます．休養については，園芸や社交を楽しむなど積極的な休養が求められます．音楽を楽しんだりアロマセラピーに取り組むなど，五感を刺激することは生命力を賦活することにつながります．脳梗塞後のアパシーにも五感の刺激は回復に大いに役立ちます．入浴については，冬は脱衣所を暖めたり転倒しないように注意することなどが必要ですが，その日の気分に合ったアロマバスを楽しむとよいでしょう．お酒やタバコ，カフェイン飲料は泌尿器に刺激となるので控えます．最近では化粧療法などが試みられ，自尊心や積極性，自己肯定感が高まるという報告が寄せられています．

5章

情報収集のテクニック

A EBMとインターネット検索

1 EBMの基礎知識

　evidence-based medicine (EBM) は「根拠に基づく医療」と訳され，1992年にSackettらによって造られた用語です．この言葉によって臨床疫学clinical epidemiologyを臨床へ応用する時代がスタートしました．こうした背景には，いうまでもなくIT化の進展があります．医師はデスク上のパソコンで，世界中の最新の医療情報にアクセスすることが可能となったのです．

　EBMは西洋医学の側から登場した概念ですが，統合医療の普及に伴って相補・代替療法complementary and alternative medicine (CAM) の側にも求められることとなりました．CAMといえども臨床応用されるとなれば当然のこととして科学的検証や評価が求められ，また，その結果が臨床応用の機会を生み出すことにつながります．EBMは臨床医だけではなく，セラピストや代替療法家を含む保健医療に関する専門家にとって必須の概念といえます．

1 EBMの3つの要素

　EBMを実践するには，① 利用可能な最善の外部根拠 external clinical evidences，② 臨床的専門技能 clinical expertise，③ 患者さんの価値と期待 patients preferences の3つの要素を統合する必要があります．ここで重要なのは，EBMの結論が単に批判的に吟味した外部根拠によって決まるのではなく，医師（あるいは専門家）の専門的な技能，そして何よりも患者さん自身の価値観や期待などの諸要素を統合して決断する必要があるということを忘れてはいけません．

　つまり，EBMとは「入手可能な範囲でもっとも信頼できるエビデンスを把握したうえで，臨床状況と患者さんの価値観を考慮した医療を行うための一連の行動指針」といえるでしょう．

2 EBMを実践するための5つのステップ

　EBMを実践するにあたっては，① 臨床上の問題の定式化（4要素PECO，表1），② 問題についての情報収集，③ 情報の批判的吟味，④ 患者さんへの情報の適用，⑤ 結果の評価，という5つのステップを踏むことが重要です．

3 研究デザイン

　研究デザインには観察研究と介入研究があり（表2），この2つは1つの課題に対し相補的な関係にあります．また，これらの研究デザインは一般に症例報告，症例対照研究，コホート研究，

A. EBMとインターネット検索

表1　4要素PECO

P (Patient)	どのような患者に
E (Exposure)	何をすると
C (Comparison)	何に比べて
O (Outcome)	どうなるか

表2　研究デザインの種類

観察研究	・前向きコホート研究　・症例対照研究 ・後向きコホート研究　・横断的研究 ・症例報告　　　　　　・時系列研究
介入研究	・無作為化比較試験 randomized controlled trial (RCT) ・非無作為化比較試験 ・クロスオーバー試験

表3　植物療法における生化学的・薬理学的アプローチの難しさ

❶ 天然物であるための検体の標準化や生物学的同等性を担保する難しさ
❷ 芳香成分，呈味成分などが機能をもつため，ブラインド（プラセボ）設定の難しさ
❸ 多成分・多機能系であるためのアウトカムやエンドポイント設定の難しさ
❹ 嗜好性や個体差などによる解析の難しさ
❺ 疾病の予防など，介入が長期に及ぶことによる撹乱要因排除の難しさ

RCTの順に「エビデンスレベル」が高くなるとされますが，サリドマイドによる先天性四肢欠損やアマンタジンの抗パーキンソン作用などは症例報告から明らかにされたように，一概に優劣をつけられるものではありません．

4　植物療法とEBM

統合医療の進展をうけてCAMの科学化が求められていますが，心理療法やエネルギー医学などは作用機序や有効性の科学的検証がきわめて難しいといえます．その点，メディカルハーブや精油は生化学的・薬理学的アプローチなどにより，科学の土俵に乗せることが比較的容易であるといえる一方，表3のような難しさが常につきまといます．

このような問題に対して，CAMに適した研究デザインなども試みられています．たとえば，生理学的指標や検査値などの代替アウトカムではなく，死亡率やQOLなどの真のアウトカムを評価項目にするなどです．植物療法では血圧などの数値は低下しませんが，死亡率が用量依存的に低下するなどの例がみられます．また，個体差を重視した解析方法としてN-of-1試験などが試みられています．これはクロスオーバー法と同様に，同一人に対して介入期と対照期を割り付けることで，個体差の影響を除外して検証しようというものです．

さらに，西洋医学では主に数値を用いた記述や統計による量的研究が主ですが，CAMでは観察やインタビューなどで質的側面を捉える質的研究が試みられています．EBMに対してnarrative-based medicine (NBM) は「物語に基づく医療」と訳され，患者さんの「物語」を重視し，それをもとに個々の患者さんへの治療やケアのアプローチを定めていこうという方法です．

5　コクラン共同計画

コクラン共同計画 the cochrane collaboration は，ヘルスケアへ介入する利益とリスクに関するシステマティックレビューを作成し，人々が十分な情報をもったうえで意思決定できるように

表4 コクランライブラリーのメディカルハーブに関する分類

「根拠あり」に分類されたもの	該当なし
「可能性あり」に分類されたもの	・静脈不全に対するホースチェストナットの効果 ・不安に対するカヴァ抽出液の効果 ・ソウパルメットの下部尿路症状に対する効果
「確定せず」に分類されたもの	・がん患者さんの精神的負担解消に対するアロマセラピー ・脂質異常症に対するアーティチョーク葉抽出物質の効果 ・片頭痛に対するフィーバーフューの予防効果 ・末梢閉塞性動脈疾患に対するニンニクの効果 ・C型肝炎に対するハーブ

表5 有益性に関する定義

有益である	複数のRCT，もしくはそれに代用可能な最高の情報源からの明確なエビデンスにより有効性が示されており，予測される害が利益に比べて小さい介入
有益である可能性が高い	「有益である」に分類された項目に比べて，有効性が十分に確立されていない介入

することを目的とした国際プロジェクトで，1992年にイギリスの国民保健サービス National Health Service (NHS) の一環として始められました．コクラン共同計画ではEBMを確実に実践するため，RCTを中心に多くの臨床試験に関する情報を収集してデータベース化し，批判的吟味や客観的な妥当性評価を行い，その結果を医療スタッフや政策決定者，一般人に向けて発信しています．

　コクランライブラリーにおけるCAMによる介入の根拠は，「根拠あり」，「可能性あり」，「確定せず」，「効果を否定」などに分類されますが，メディカルハーブに関するものは表4の通りです．

6. 主要エビデンス集におけるメディカルハーブの評価

❶ クリニカルエビデンス（2006年版）[1]

　クリニカルエビデンスは，イギリス医師会出版部によるEBMを支援する医療情報提供プロジェクトです．各種の介入による治療効果は，「有益である」，「有益である可能性が高い」，「有益性と有害性のトレードオフ」，「有益性不明」，「有益性に乏しい」，「無効ないし有害である」の6つにカテゴリー化されていて，そのうちの有益性に関する定義を表5にあげます．

　「有益である」と評価されたものには，妊娠初期の悪心と嘔吐に対するジンジャーがあり，「有益である可能性が高い」と評価されたものには，① 前立腺肥大症に対するソウパルメット抽出物，② 認知症に対するイチョウ葉エキス，③ 成人のうつ病に対するセントジョンズワート，④ 非妊娠女性の再発性膀胱炎に対するクランベリージュース，またはクランベリー製品，⑤ 静脈性下肢潰瘍に対する経口フラボノイド，などがあります．

❷ ナチュラルスタンダード（2005年版）[2]

　ナチュラルスタンダードはCAMの科学的な根拠に基づく情報の国際的な共同研究機関です．各種の介入による治療効果は5つのカテゴリーに分類されていて，定義を表6に，そのカテゴリーAとBに分類されている具体例を表7に示します．

表6 カテゴリーの定義

A	使用効果を裏づける強力な科学的根拠がある
B	使用効果を裏づける十分な科学的根拠がある
C	科学的根拠は不確か
D	効果がない可能性がある
F	効果がない可能性が高い

表7 カテゴリーA，カテゴリーBの具体例

ハーブ	適応	カテゴリー
イチョウ	跛行（末梢血管疾患）	A
	認知症	A
エキナセア	上気道感染	B
ミルクシスル	肝硬変	B
	（慢性）肝炎	B
カヴァ	不安	A
クランベリー	尿路感染予防	B
ホーソン	うっ血性心不全	A
ジンジャー	妊娠悪阻，つわり	B
ホーステール（スギナ）	利尿作用	B
セントジョンズワート	抑うつ（軽度から中等度）	A

ハーブ	適応	カテゴリー
バレリアン	不眠症	B
ホースチェストナット	慢性静脈不全	A
チェストベリー	高プロラクチン血症	B
ゴツコラ（センテラ）	慢性静脈不全，拡張蛇行静脈	B
デビルズクロウ	変形性関節炎	B
フィーバーフュー	片頭痛予防	B
ニガウリ	糖尿病	B
ソウパルメット	良性前立腺肥大	A
ブラックコホシュ	更年期症状	B

2 インターネット検索

1 インターネット検索での注意事項

一般にCAMに関する情報源としては雑誌や専門書，学術論文などの活字メディアや学会，研究会などでの情報収集があげられますが，IT化の進展によりインターネットでの情報検索の比率が高まっています．書籍に比べて電子メディアは最新の情報や世界中の情報にアクセスできるなどの利点がある一方，情報の質に大きなばらつきがあります．そこで，インターネットでの情報検索には，① 情報提供の主体は誰か？（企業・公的機関・NPOなど），② 情報提供の目的は何か？（営利・非営利など），③ 1次情報か，2次情報か？ 2次情報であれば出典は明記されているか？，④ 情報のエビデンスや裏づけはあるか？，⑤ 情報に対する質問や疑問に応答する体制はあるか？，などのような視点が大切です．

2 リテラシー

インターネットの情報洪水のなかで信頼できる質の高いコンテンツを選択するには，真偽を見分けられる確かな目が必要になります．臨床研究を取り巻く，産・官・学の結びつきが強くな

り，情報と経済とが瞬時にして連動する時代においては，メディアリテラシーや科学リテラシーの必要性が求められています．臨床研究に対しては，研究の構造・設計・評価について「研究資金の出処は？　研究者に利益相反はないか？」，「研究デザインは合理的か？　アウトカムやエンドポイントの設定は適切か？」，「各種のバイアスは入っていないか？　論文に対する査読システムはあるか？」などのような視点が大切です．

● 3 ● CAMのエビデンスを集めたウェブサイト

CAMのエビデンスを閲覧できる代表的な2つのウェブサイトを紹介します．

❶ 独立行政法人「国立健康・栄養研究所」：健康食品の安全性・有効性情報[3]

国民の健康の保持・増進，および栄養・食生活に関する調査・研究を行うことにより，公衆衛生の向上，および増進を図ることを目的とした公的機関としての役割をもつ独立行政法人のサイトです．「健康食品の素材データベース」があり，そのなかにハーブについて表8に示す項目で記されています．

❷ Herb Med[4]

1998年に設立されたアメリカの非営利組織The Alternative Medicine Foundationが運営するサイトで，ハーブ別の学術論文にアクセス可能なポータルサイトです．ハーブを学名，もしくは一般名で検索でき，各ハーブについて表9のように研究がカテゴリー分けされていて，主にPubMedにリンクしています．特定のハーブに関する研究動向を全体的に把握したり，論文を入手したりする際に役立ちます．

表8　ハーブについての項目

❶名称
❷概要
❸法規・制度
❹成分の特性・品質（主な成分・性質／分析法）
❺有効性（ヒトでの評価）
　循環器／呼吸器／消化器／肝臓／糖尿病／内分泌／生殖器／泌尿器／脳・神経・感覚器／免疫／がん／炎症／骨・筋肉／発育・成長／肥満／その他
❻有効性のための参考情報（細胞や動物などでの評価）
❼安全性
❽危険情報／禁忌対象者／医薬品などとの相互作用／動物他での毒性試験／American Herbal Products Association（AHPA）クラス分類，および勧告
❾総合評価（安全性／有効性）
❿参考文献

表9　研究カテゴリー

❶Evidence for Efficacy：Human Data
　（ヒトでの評価によるエビデンス）
❷Safety Data（安全性データ）
❸Evidence of Activity
　（作用に関するエビデンス）
❹Formulas/Blends（処方）
❺Other Information（その他）
❻Dynamic Updates（情報アップデート）
❼History of Records（記録歴）

文　献

1) Clinical Evidence (http://www.clinicalevidence.com/)
2) Natural Standard (http://www.naturalstandard.com/)
3) 独立行政法人「国立健康・栄養研究所」：健康食品の安全性・有効性情報 (http://hfnet.nih.go.jp/)
4) Herd Med (http://www.herbmed.org/)

B 有用な情報源

CAMに関する国内・外の有用な書籍およびウェブサイトを紹介するので参考にしてください.

1 書 籍

❶ アロマセラピー

- ベーシックアロマテラピーの事典（林 真一郎著，東京堂出版，1998）
- メディカル・アロマセラピー 改訂2版（今西二郎著，金芳堂，2010）
- アロマテラピーの科学（鳥居鎮夫著，朝倉書店，2002）
- クリニカルアロマテラピー〜よりよい看護をめざして
  （ジェーン・バックル著，今西二郎・渡邊聡子訳，フレグランスジャーナル社，2000）

❷ メディカルハーブ

- メディカルハーブの事典〜主要100種の基本データ（林 真一郎著，東京堂出版，2007）
- ハーブと精油の基本事典（林 真一郎著，池田書店，2010）
- メディカルハーブ安全性ハンドブック
  （アメリカンハーバルプロダクツアソシエーション編，林 真一郎・渡辺肇子監訳，東京堂出版，2001）
- エビデンスに基づくハーブ＆サプリメント事典
  （アドリアン・フーベルマン著，橋詰直孝監訳，南江堂，2008）
- ハーブ＆サプリメント〜 NATURAL STANDARDによる有効性評価
  （キャサリン・E・ウルブリヒト編，渡邊 昌監修，産調出版，2007）

2 ウェブサイト

- 独立行政法人「国立健康・栄養研究所」：健康食品の安全性・有効性情報（http://hfnet.nih.go.jp/）
- Herb Med（http://www.herbmed.org/）
- American Botanical Council（http://www.herbalgram.org/）
- Memorial Sloan-Kettering Cancer Center（http://www.mskcc.org/mskcc/html/11570.cfm）
- The Cochrane Library（http://www.thecochranelibrary.com/view/0/index.html）

index

日本語索引

あ行

アグリコン······································ 70
麻の実·· 123
　──油·· 31, 118, 130
圧搾法·· 8
アーティチョーク························ 120, 122, 130
アトピー性皮膚炎························ 118
アブソリュート···························· 8
アプリコットカーネル油··········· 31
アマゾングリーンナッツ油··· 116, 118, 119, 124, 130
亜麻仁·· 123
アメリカハーブ製品協会··········· 83
アルカロイド································ 67
アルテア根···································· 114, 120, 131
アルデヒド類································ 20
アンスラキノン···························· 68
安息香·· 114
胃炎·· 120
イオウ化合物································ 71
異性体·· 24
イソプレン則································ 17
イチョウ葉···································· 78, 127, 131
イブニングプリムローズ··········· 79
　──油·· 32, 124
イランイラン································ 112, 125
インカインチ油··························· 116, 118, 124, 130
インフルエンザ···························· 114
ウィートジャーム油··················· 31
ウコン·· 130
ウスベニアオイ···························· 114, 120, 127
エキナセア···································· 79, 84, 114
エステル類···································· 21
エッセンシャルオイル··············· 69
エルダーフラワー························ 86, 114, 116
オイルマッサージ························ 12
オキシド類···································· 22
オリーブ油···································· 118, 130
オレンジ·· 124, 127
温浸油·· 32

か行

カオリン·· 30
確認試験·· 75
果実酸·· 69
ガスクロマトグラフィー··········· 75
　──質量分析法························ 29
かぜ·· 114
肩こり·· 126
花粉症·· 116
カメリア油···································· 118, 130
カモミール···································· 112
カレンデュラ································ 88, 131
　──油·· 32
カロテノイド································ 69
官能検査·· 75
含硫化合物···································· 71
忌避作用·· 22
キャッツクロー···························· 131
キャロット油································ 32
クマリン·· 67
　──類·· 21
苦味質·· 70
クミスクチン································ 130
クラリセージ································ 40, 123, 125
クランベリー································ 131
グリコシド···································· 70
グルカン·· 68
グレープシード···························· 123
グレープフルーツ························ 113
桑の葉·· 130

血液 - 脳関門 …………………… 10, 12, 59, 63
月経前症候群 ………………………………… 123
月経痛 ………………………………………… 123
月桃 …………………………………… 112, 125
ケトン類 ………………………………………… 20
ケモタイプ ……………………………………… 24
健康転換 ………………………………………… 3
抗酸化作用 ……………………………………… 63
抗酸化ネットワーク …………………………… 65
香粧品香料原料安全性研究所 ………………… 39
構造活性相関 ……………………………… 15, 22
抗糖化作用 ……………………………………… 63
光毒性 ………………………… 21, 32, 46, 67, 78
　　――反応 ………………………………………… 23
更年期障害 …………………………………… 125
国際香粧品香料協会 …………………………… 39
コミッションE ……………………… 25, 113, 121
小麦胚芽油 …………………………… 31, 118, 127
ゴーヤ ………………………………………… 130

さ行

最終糖化産物 …………………………………… 63
サフラン ……………………………… 125, 131
サポニン ………………………………………… 69
酸化傷害 ………………………………………… 65
湿布 ……………………………………… 13, 62
ジテルペンアルコール類 ……………………… 19
指標成分 ………………………………………… 76
ジャーマンカモミール
　　…………… 90, 112, 118, 120, 122, 123, 125, 127
出産時の植物療法 …………………………… 128
ジュニパー …………………………………… 127
蒸気吸入 ………………………………………… 11
初回通過効果 …………………………… 10, 36, 59
食生活指針 …………………………………… 117
食品機能性の3次機能 ………………………… 59
食品機能性の2次機能 ………………………… 59
植物化学成分 …………………………………… 63
　　――の抗ウイルス作用 ……………………… 64
　　――の抗菌作用 ……………………………… 64
　　――の心理作用 ……………………………… 63
　　――の生理作用 ……………………………… 63

　　――の薬物相互作用 ………………………… 81
　　――の薬理作用 ……………………………… 64
植物酸 …………………………………………… 69
植物療法 ………………………………………… 2
ジンジャー …………………………………… 128
浸出油 …………………………………………… 32
水蒸気蒸留法 …………………………………… 8
スイートアーモンド油 ………………………… 31
随伴陰性変動 …………………………………… 14
スクラレオール ……………………………… 123
ステロイド ……………………………………… 69
生活習慣病の植物療法 ……………………… 129
精油 …………………………………………… 8, 69
　　――の活用法 ………………………………… 11
　　――の抗ウイルス作用 ……………………… 14
　　――の抗菌作用 ……………………………… 14
　　――の作用 …………………………………… 14
　　――の心理作用 ……………………………… 14
　　――の生理作用 ……………………………… 14
　　――の抽出法 ………………………………… 8
　　――の保存法 ………………………………… 9
　　――の薬物相互作用 ………………………… 37
　　――の薬理作用 ……………………………… 14
セージ ………………………………… 114, 125, 131
セスキテルペンアルコール類 ………………… 18
セスキテルペン炭化水素類 …………………… 18
ゼラニウム …………………………… 124, 125
セントジョンズワート
　　…………… 78, 92, 112, 122, 123, 125, 128, 131
　　――油 ………………………………………… 32
ソウパルメット ………………………… 79, 131
相補・代替療法 ……………………………… 2, 134

た行

第Ⅰ相反応 ……………………………………… 37
第Ⅱ相反応 ……………………………………… 37
大脳辺縁系 ………………………………… 10, 63
タイム ………………………………… 114, 120
多糖類 …………………………………………… 68
ダンディライオン …………… 94, 122, 128, 130, 131
タンニン ………………………………………… 70
チェストベリー ……………………… 123, 125, 131

茶剤·····································60
超臨界流体抽出法·······················9
チンキ剤·································61
月見草···································79
　──油·······················32, 119, 124
椿油·································118, 130
ティートリー··························28, 42
デビルズクロー························131
テルペノイド····························68
糖化反応································63
統合医療·································2

な行

ナフトキノン····························68
ニアウリ·························114, 116
ニガウリ·································130
2次代謝産物···························66
入浴···································12, 62
妊娠時の植物療法·····················128
ネトル·················96, 116, 118, 128, 130, 131
ネロリ·······························112, 125
　──水································34
粘液質···································70

は行

配糖体···································70
ハイビスカス··············98, 120, 122, 127
ハザード·································72
パッションフラワー
　··········100, 112, 120, 122, 123, 125, 131
パッチテスト·······················12, 110
バッチ博士の花療法···········112, 125, 128
ハーブティー···························60
バレリアン······························112
冷え症··································126
ビタミン································71
ビタミンE·······················31, 71, 119, 124
　──製剤·····························127
ピーチカーネル油······················31
標準化···································76
ビルベリー······························79

フェニルプロパノイド··················67
フェノールエーテル類················20
フェノール類···························19
フェンネル··················114, 120, 122, 128
副作用···································72
不眠····································112
ブラックコホシュ·············123, 125, 131
フラボノイド·······················67, 129
フランキンセンス····················124
フロクマリン···························67
ペパーミント
　········44, 102, 112, 114, 116, 120, 122, 128, 130
ベルガモット········46, 112, 114, 120, 127, 131
ベルベーヌ·····························125
ベンゾイン····························114
ベンゾキノン··························68
便秘····································121
ヘンプシード··························123
ヘンプナッツ··························123
ヘンプ油···············31, 116, 118, 124, 130
芳香蒸留水···························8, 33
芳香浴··································11
ホーソン·························123, 130
ホホバ油································30
ポリフェノール······················70, 129

ま行

マイタケ·····························80, 123
マカ····································127
マーカー································76
マカデミアナッツ油················30, 118
マシュマロの根···················114, 120
マリーゴールド························88
マルベリー·························104, 130
マレイン································114
ミツロウ······························30, 33
ミネラル································71
ミルクシスル···························79
メディカルハーブ·······················58
　──の乾燥····························58
　──の収穫····························58
　──の保存····························59

モノテルペンアルコール類……………… 18	──精油……………………………… 36
モノテルペン炭化水素類………………… 17	リグナン……………………………… 67
	リグニン……………………………… 67

や行

薬学的視点………………………………… 4	リスク………………………………… 72
薬物有害反応……………………………… 72	リテラシー…………………………… 137
有害事象…………………………………… 72	リンデン……………………… 112, 114, 130
有機酸……………………………………… 69	ルイボス……………………………… 127
ユーカリ………………… 28, 48, 114, 116, 117	冷浸油………………………………… 32
油脂………………………………………… 68	レモン………………………………… 113, 131
ユズ……………………………… 114, 120, 127	レモンバーム……………………… 112, 120
溶剤抽出法………………………………… 8	ローズ……………………………… 116, 118, 125
抑うつ……………………………………… 112	──水…………………………………… 34
	ローズヒップ
	……… 106, 114, 116, 118, 122, 123, 125, 128, 131
	ローズマリー………… 52, 113, 114, 122, 127, 131
	ローマンカモミール…… 54, 112, 114, 120, 122, 123

ら行

ラクトン類………………………………… 21	
ラズベリーリーフ…………………… 123, 128	
ラベンダー…… 28, 50, 112, 114, 118, 120, 127, 131	
──水…………………………………… 34	

わ行

ワコルダー……………………………… 127

外国語索引

advanced glycation endoproducts………… 63	glycation……………………………… 63
adverse drug reaction…………………… 72	γリノレン酸………………… 31, 68, 119, 124
adverse event…………………………… 72	IFRA…………………………………… 39
AGE……………………………………… 63	International Fragrance Association……… 39
AHPA…………………………………… 83	ω3系脂肪酸………………… 31, 68, 118, 124
──の安全性評価……………………… 83	phytotherapy…………………………… 2
American Herbal Products Association…… 83	PMS…………………………………… 123
αリノレン酸………………………… 31, 68	premenstrual syndrome………………… 123
CAM………………………………… 2, 134	Research Institute for Fragrance Materials… 39
complementary and alternative medicine…… 2, 134	RIFM…………………………………… 39
EBM…………………………………… 134	side effect……………………………… 72
evidence-based medicine……………… 134	

著者紹介

林 真一郎 グリーンフラスコ代表・薬剤師

1982年に東邦大学薬学部薬学科を卒業後，保険薬局勤務を経て1985年にハーブ専門店グリーンフラスコを設立する．2001年，植物療法の調査・研究とエビデンスの構築をめざしてグリーンフラスコ研究所を設立し，現在では医師・薬剤師・看護師などとネットワークを作り，情報交換を行いながら植物療法の普及に取り組んでいる．

東邦大学薬学部客員講師・静岡県立大学大学院非常勤講師を兼任．

ファーマシューティカル
アロマセラピー & メディカルハーブ ©2011

定価（本体 1,900 円+税）

2011年4月10日　1版1刷

著　著　林　真一郎（はやし　しんいちろう）
発行者　株式会社　南山堂
代表者　鈴木　肇

〒113-0034　東京都文京区湯島4丁目1-11
TEL 編集(03)5689-7850・営業(03)5689-7855
振替口座　00110-5-6338

ISBN 978-4-525-70401-8　　Printed in Japan

本書を無断で複写複製することは，著作者および出版社の権利の侵害となります．

JCOPY <(社)出版者著作権管理機構　委託出版物>
本書の無断複写は著作権法上での例外を除き禁じられています．複写される場合は，そのつど事前に，(社)出版者著作権管理機構（電話 03-3513-6969, FAX 03-3513-6979, e-mail: info@jcopy.or.jp）の許諾を得てください．